CY[

Né en 1975, Cyril Massarotto a d'abord écrit des paroles de chansons pour son groupe, Saint-Louis, avant de se sentir à l'étroit dans l'exercice. Il passe donc à la vitesse supérieure en 2006, et se lance dans l'écriture. Un an plus tard, alors qu'il surfe sur le Net dans un bain bien chaud, une phrase résonne dans sa tête : « Dieu est un pote à moi. » Il sait alors qu'il tient son roman. Publié aux éditions XO, le livre a reçu le prix Méditerranée des lycéens en 2009.

DIEU EST UN POTE À MOI

CYRIL MASSAROTTO

DIEU EST UN POTE À MOI

XO
EDITIONS

Le papier de cet ouvrage est composé de fibres naturelles, renouvelables, recyclables et fabriquées à partir de bois provenant de forêts plantées et cultivées expressément pour la fabrication de pâte à papier.

© 2008, XO Éditions
ISBN : 978-2-266-19196-8

An zéro

« Salut toi.

– Mais qu'est-ce que je fais là ? T'es qui ?

– Tu sais bien qui je suis.

– Tu es…

– Vas-y, dis-le.

– Tu es… Dieu ?

– Tu vois, ce n'était pas difficile ! Bien sûr que je suis Dieu. C'est comme ça que tu m'imaginais, non ?

– Oui, mais de là à te voir pour de vrai… Alors tu existes vraiment ?

– Bien sûr que j'existe !

– Non non, je le crois pas. C'est pas possible…

– Allez, s'il te plaît, ne fais pas comme les autres à passer des heures à te demander si c'est un rêve ou si tu es mort. Non tu n'es pas mort, oui je suis Dieu, oui j'existe, oui tu es bien en train de me parler. Tout ça n'est pas pour la télé, je ne suis pas un comédien avec une barbe blanche, il n'y a pas de caméra cachée. Que vous êtes pénibles ces derniers temps ! Avant, c'était vraiment moins compliqué… Ça y est, tu es rassuré ?

– Je sais pas, je crois que j'hallucine…

– Oh ! Qu'il est fatigant ! Allez, je te renvoie chez toi, appelle-moi quand tu seras moins suspicieux. »

Il fait un petit geste de la main et me revoilà dans mon salon, assis sur mon canapé exactement comme tout à l'heure, avant que je ne me retrouve dans le ciel. Eh oui, je viens de me rendre compte que je parlais à Dieu, et qu'il habite dans les nuages. Comme Casimir en fait. Mais bon, en pas tout à fait pareil, Dieu il est super impressionnant, honnêtement il en jette.

Je crois qu'il faut que je fasse le point : j'ai trente ans, jamais eu de soucis psychiatriques, pas bu d'alcool aujourd'hui et pas consommé de drogue depuis longtemps. Alors il vient de se passer quoi, là ? J'étais en train de ne rien faire devant ma télé, et tout d'un coup je suis aveuglé par une sorte de flash et en moins d'une seconde je suis dans le ciel, en train de parler avec un vieux mec qui, selon toute vraisemblance, est Dieu. En tout cas, c'est le mec qui ressemble le plus à Dieu que j'aie jamais rencontré. Et puis, il faut se rendre à l'évidence, je ne vois pas qui d'autre aurait pu faire une chose pareille, la téléportation et le décor... C'est sûr, c'est bien lui. Alors là, c'est la meilleure ! Dieu m'a appelé, il m'a fait venir chez lui, il m'a parlé ! Incroyable ! Je suis une sorte de prophète ou quoi ? Il veut certainement me transmettre un message à délivrer au reste de l'humanité ou quelque chose dans le genre... Il faut que je sache. Je vais l'appeler comme il m'a dit de le faire :

« Euh... Dieu ? »

Le même flash que tout à l'heure et me revoilà devant lui :

« Alors, tu t'es calmé ?

– Attends, mets-toi à ma place, rencontrer Dieu, ça fait quelque chose ! Un peu comme la fois où j'ai vu Ophélie Winter pour de vrai dans la rue...

– Merci de la comparaison...

– Non, mais tu comprends ce que je veux dire !
C'est pas que je te compare, c'était pour donner un
exemple !

– Oui, oui, j'avais compris, je peux te taquiner un
peu, non ?

– Parce que Dieu, ça taquine ?

– Ne dis pas "ça" quand tu parles de moi s'il te
plaît, je ne suis pas un objet. Mais en effet, je taquine,
comme tu dis. Je rigole même, et je fais des blagues
aussi ! Tu verras avec le temps que je ne suis pas du
tout comme tu m'imagines.

– Là je t'avoue que je m'attends à tout… Au fait,
tu préférerais peut-être que je te dise *vous*, non ?

– Pas besoin, de toute façon tu t'es déjà habitué à
me dire *tu*. Je ne crains pas le manque de respect tu
sais, je n'ai pas vraiment les mêmes sentiments que
vous, les Hommes, à ce niveau-là, pas de problème
d'ego puisque je suis Tout. Enfin, c'est une façon de
parler, comment t'expliquer ?… Tu vois, mon plus
gros problème lorsque je choisis de parler avec
quelqu'un, c'est de faire abstraction de l'immense
majorité de ce que je sais pour simplement parvenir
à me faire comprendre. C'est un exercice de style
assez fatigant.

– Ah ! Parce que tu ressens des trucs physiquement et moralement ?

– Évidemment. Mais si tu le veux bien, on en
reparlera plus tard, quand tu seras prêt.

– Et je serai prêt quand ?

– Dans peu de temps, rassure-toi.

– C'est zarbi quand même… ah pardon, zarbi ça
veut dire bizarre, c'est du verlan. Ah pardon, verlan
ça veut dire…

– Non, mais tu me prends pour qui ? Ton voisin de
palier, un vendeur d'aspirateurs à domicile ? Je te
rappelle que je suis Dieu. Je parle toutes les langues,

tous les dialectes, je comprends et je sais tout ce qui sort de la bouche de tous les Hommes. Voici le Savoir numéro Un : en ce qui vous concerne, vous les Hommes, je suis omniscient. Tu sais ce que ça veut dire ?

– A priori, que tu sais tout sur nous.

– Bravo ! Tu as intégré le Savoir numéro Un.

– Ouais super, j'ai gagné quoi ?

– Je peux rallonger ton sexe de quelques centimètres, tu es partant ? Allez, ça ne sera pas de trop…

– C'est pas possible d'être aussi vulgaire ! Je sais pas, fais quelque chose, tu devrais tenir ton rang de Dieu quand même ! Y a pas une déontologie des dieux, un comportement approprié ?

– Alors voici deux choses de plus à retenir pour toi : Savoir numéro Deux, il n'y a qu'un Dieu, c'est moi. Savoir numéro Trois, tout ce qui a trait aux Hommes, c'est moi, donc je peux tout me permettre. L'amour, c'est moi, la poésie c'est moi, la vulgarité c'est aussi moi, la littérature c'est moi, la musique c'est moi, l'humour c'est moi…

– La modestie c'est quelqu'un d'autre apparemment…

– Tu es vraiment comme je te savais. Tu balances des vannes à Dieu, sans le moindre scrupule ! Essaie de te rendre compte : tu te moques de Dieu !

– En même temps je me sens tellement à l'aise avec toi, comme si on se connaissait déjà…

– C'est normal, tous ceux qui me rencontrent ont cette impression. J'ai toujours veillé sur toi comme sur vous tous, je te connais mieux que tu ne te connais. Je suis un peu ton père, un peu tes amis, on est en famille quand on est ensemble.

– C'est-à-dire ?

– C'est-à-dire que tu me connais toi aussi. Tu existes, donc tu me connais. Je suis un peu de toi, et toi un peu de moi. Mais je vais te laisser tranquille un moment, tu y repenseras au calme. Avant de te quitter, je te livre le Savoir numéro Quatre, qui est aussi le dernier : tu ne dois pas accorder à notre rencontre plus d'importance qu'elle n'en a réellement. Tu comprendras avec le temps, comme le reste. Allez, à bientôt. »

Trois jours que je n'ai pas eu de ses nouvelles, je deviens dingue. C'est d'autant plus énervant que j'ai oublié de l'interroger sur le message qu'il avait à me transmettre. Du coup, je commence à me demander si cette histoire n'est pas une hallucination due à quelque chose que j'aurais mangé, ou alors une intoxication au monoxyde de carbone, bref un truc qui m'aurait chamboulé les neurones. Parce que s'il y a bien une chose dont je suis certain, c'est que je n'ai pas rêvé, je ne dormais pas. J'ai eu beau essayer de l'appeler, ça n'a rien donné. Pas de flash qui m'aurait transporté dans le ciel. Rien.

J'en ai assez de rester enfermé dans mon appart, je crois qu'il vaut mieux que je retourne au boulot. J'ai dit que j'avais un rhume quand j'ai appelé l'autre jour, mais René va commencer à se poser des questions. Il a beau être cool comme patron, faut pas pousser quand même. Allez, il est presque dix-huit heures, j'ai une heure pour me préparer et me rendre au sex-shop. Il faut bien que ma vie reprenne son cours normal.

« Salut René, me revoilà !

– Salut ! Alors, t'es plus malade ?

– Non ça va mieux, merci. En revanche, je suis pas allé voir mon docteur, j'ai pas d'arrêt de travail...

– Tu sais bien que je m'en fous. T'es malade une fois dans l'année, je vais pas te retirer du pognon.

– Merci. Tout s'est bien passé, rien de spécial ?

– Non. Enfin si, un truc marrant. Pour te remplacer, j'ai pris une fille, histoire de voir ce que ça donnerait. Et tu vas pas le croire, mais le chiffre d'affaires a vachement baissé les trois nuits où elle a bossé ! Je crois que les habitués avaient trop honte de passer à la caisse avec leurs films de débiles devant cette petite meuf à l'air tout sérieux. Marrant, non ?

– Ouais, si on veut, mais ça m'étonne pas en même temps. Qu'est-ce qui t'a pris toi aussi d'engager une meuf ?

– J'ai voulu tester, c'était une fausse bonne idée. Mais je pense que tu vas avoir du boulot ce soir, nos malades doivent être en manque de stupre. Ciao, bon courage. »

J'aime pas trop quand il parle de cette manière. Il n'a aucun respect pour les clients qui viennent combler leur misère sexuelle ici. Il les appelle toujours « les malades », « les pervers », « les débiles ». Moi je crois surtout qu'ils sont paumés, pris entre des fantasmes qui vont toujours plus loin et une vie qui va toujours plus bas. Rien de méchant je pense, uniquement de la solitude. En tout cas, depuis huit ans que je bosse ici, aucun de mes habitués ne s'est retrouvé à la une des faits divers sanglants, preuve qu'ils ne font de mal à personne. René, lui, il s'en fout de ces gens, ce qui l'intéresse c'est pouvoir faire tourner sa boutique tranquillement, basta. Il y arrive il me semble, vu qu'il a encore changé de voiture cette année, et qu'il m'a augmenté à Noël dernier. Je crois que c'est le seul patron qui augmente son employé alors que celui-ci ne demande jamais rien.

La nuit est longue, elle est calme surtout. Les habitués ont dû être refroidis par la fille, il a de ces idées le René, je te jure. Tiens, je vais me regarder le nouveau *Petite bouche mais grosse gourmande*, déjà le neuvième volume. Le temps passe vite quand même.

Mais j'y pense, Dieu il doit me voir, là, en train de fantasmer sur cette brune qui en effet a une très petite bouche. Il sait peut-être même que ça m'excite, il lit peut-être même dans ma tête en ce moment ! Comment je vais savoir, moi ?

« Dieu ? Dieu, s'il te plaît, c'est urgent !
— Oui ?
— Il est énervant, ton flash. J'ai les yeux fragiles, moi ! Enfin, c'est pas ça l'important… Je me demandais : à l'instant, là, tu me regardais ?
— Ah, la question classique : est-ce que je vous vois constamment ? La réponse est oui.
— Quoi ? Tu me vois tout le temps ?
— Il faut te le dire en quelle langue ? Oui, je te vois, à chaque instant, chaque seconde. Non seulement je te vois, mais je sais ce que tu penses, ce que tu imagines. Toi et tous les Hommes.
— Attends, c'est l'enfer ! T'aurais pas pu me mentir ?
— Pourquoi aurais-tu voulu que je te mente ?
— Je sais pas, je pourrai plus vivre normalement en sachant ça !
— Si, rassure-toi. Il faudra un peu de temps, c'est tout.
— C'est pas possible ! Tu veux dire que tu me vois même quand je me bran… euh… quand je me masturbe ?

– Si c'était que ça, encore… Mais je vois tout ! Tiens, souviens-toi, il y a trois ans, quand tu as voulu offrir un vibromasseur à Sabrina pour son anniversaire…

– Tu connais Sabrina ?

– Savoir numéro Un… Bref, elle l'a mal pris, elle t'a dit que c'était dégueulasse, super coincée comme d'habitude. Eh bien, tu te rappelles ce que tu en as fait du vibro ce soir-là ?

– Quoi ? Tu m'as vu quand je me le suis mis dans le… Oh non ! Oh non putain, je pourrai jamais plus te regarder en face ! Oh, l'horreur que je vis ! L'humiliation ! Dieu m'a vu en train d'essayer le vibro ! C'est la plus grande honte de ma vie !

– Ne sois pas gêné, voyons.

– Oh l'autre ! Il me dit de pas être gêné ! Merci, je vais mieux, je suis plus du tout gêné maintenant que tu me l'as demandé, c'est magique !

– L'ironie, j'adore. C'est de moi aussi.

– Comprends-moi, c'était de la curiosité, j'en vends tous les jours, c'était quasiment du professionnalisme. Et puis je l'ai fait qu'une fois, je te jure !

– Combien de fois, tu dis ?

– Oui bon, peut-être deux… Tu me fatigues, c'est bon, ramène-moi !

– Ne le prends pas comme ça, c'était pour rire…

– Ra-mè-ne-moi ! Tout de suite !

– Comme tu voudras. »

Après avoir dormi une bonne partie de la journée, je dois reconnaître que je commence à me faire à l'idée qu'en effet il n'est peut-être pas si grave que Dieu voie et sache l'intégralité de ce que je fais. Après tout, si c'était une faveur qui m'était réservée, je serais épouvanté, mais si c'est le cas pour chacun d'entre nous, finalement… Ce sont surtout les gens qui font des choses un peu bizarres qui devraient être horrifiés mais, chance pour eux, ils ne sauront jamais que quelqu'un les voit. Parce que je ne suis pas le plus déjanté de tous, c'est une certitude. Avec le recul, j'ai peut-être été un peu dur avec lui. Quoiqu'il doive avoir l'habitude. Il me comprend forcément puisqu'il comprend tout, il sait que je n'ai pas pensé à mal, mais peut-être qu'il va m'en vouloir. Est-ce que Dieu est rancunier, d'ailleurs ? S'il a tout inventé, la rancune, c'est de lui. Il va me faire la gueule, peut-être même qu'il ne voudra plus me voir… Je vais laisser passer un peu de temps avant de le rappeler, on verra bien. Je vais faire profil bas, comme avec René, quand on s'était sévèrement engueulés il y a un an ou deux. Il m'avait reproché de lui avoir fait la morale après un incident au magasin, et s'il y a bien quelque chose que René déteste, c'est qu'on lui

18

donne des leçons. C'était une histoire banale au début, juste un client qui avait ramené un film et demandait que je le rembourse parce que, selon lui, les *Vieilles sans limites* n'étaient pas vraiment vieilles, pas assez pour l'exciter en tout cas. J'allais m'exécuter, quand René qui faisait la comptabilité à côté a dit au gars qu'on ne reprenait pas les films. Et là, le type qui était assez costaud a commis la lourde erreur de monter le ton, du genre menaçant, en nous traitant d'escrocs. Et bien sûr ça n'a pas traîné, le René est passé de l'autre côté du comptoir et lui a réglé son compte en deux coups de poing dans la face et un coup de pied dans l'entrejambe, manière de mettre un point final à la discussion. Je lui ai dit que je n'aimais pas la violence, qu'il y avait sans doute une autre solution, d'où notre engueulade ensuite. Heureusement, tout s'est vite arrangé entre nous, quelques jours après il m'a dit qu'il regrettait mais que c'était plus fort que lui, il avait le sang chaud.

Le sang chaud, selon lui, c'est dû à ses origines. Il est espagnol à la base, enfin ses parents surtout. Lui il est né ici, sa mère a accouché quelques jours après leur arrivée en France. Mais il me parle toujours de l'Espagne comme s'il y avait vécu toute sa vie ; c'est marrant, il mange espagnol, il boit espagnol, il parle espagnol le plus souvent possible, il respirerait espagnol s'il pouvait importer de l'air de là-bas. Évidemment, il s'est marié avec une Espagnole, et pas une fille d'immigrés comme lui, non, une vraie avec l'accent qui fait rire. Il a eu le coup de foudre pendant des vacances là-bas et il l'a ramenée dans ses valises, en souvenir du pays, comme il dit. Plus jeune, il n'aimait pas les études, alors il a préféré s'engager dans l'armée, je ne vois pas trop la logique mais bon... Résultat : au bout de quelques semaines, il a salement cassé la tête d'un gradé et il a fait un peu de prison. Moi, si j'avais connu René à l'époque, j'aurais su que les choses allaient se passer comme ça vu son caractère, je les aurais prévenus, à l'armée. Enfin, toujours est-il qu'il a un peu dévié du droit chemin comme on dit, quelques affaires louches, encore un peu de prison, deux ou trois allers-retours entre divers trafics, et ensuite il a décidé de se ranger en ouvrant le sex-shop. On se range comme on peut, hein, faut pas trop en demander non plus. En tout cas, René, c'est la personne la plus gentille que je connaisse, même s'il faut du temps pour s'en rendre compte. Au début, on voit surtout sa grande gueule et ses gros bras, il ferait même un peu peur mais en fait non, quand on le connaît on voit sa bonté. On peut voir sa tristesse aussi, quand l'alcool l'y autorise. Il m'a dit, un soir où il avait trop bu, que si sa femme avait pu avoir des enfants, il aurait aimé avoir un fils comme moi. J'ai dit merci.

Parce que moi aussi j'aurais bien aimé avoir un père. Et une mère. Je les ai eus, évidemment, mais disons que j'aurais aimé les avoir plus longtemps, même juste un peu. Ma mère, c'est sûr, c'est pas sa faute. Ça commence comme une grosseur au sein, rien d'alarmant, sans doute un kyste, et puis avec le temps on a l'impression que ça devient vraiment gros, alors on arrête de se voiler la face et on va voir le médecin, il vous envoie à l'hôpital et là vous apprenez que c'est trop tard, beaucoup trop tard même, que c'est dans tout votre corps et que bientôt vous allez mourir. Alors vous voulez protéger votre fils et vous ne lui dites rien, il a treize ans pourtant, mais c'est toujours votre bébé et vous ne voulez pas qu'il souffre. Il apprend la nouvelle quelques jours seulement avant la fin, quand on a épuisé tous les gentils mensonges, ceux pour son bien, et qu'on ne peut plus rien cacher. Alors ça lui tombe dessus, lourd comme une enclume.

Pour mes dix-huit ans, par contre, j'ai été gâté. Quarante mille euros, c'est une somme tout de même ! Forcément, il y avait une contrepartie : ce n'était pas un cadeau mais un héritage. Mon père a attendu ma majorité pour se suicider, parce qu'il ne voulait pas que je sois placé dans une maison d'orphelins ou autre joyeuseté dans le genre, merci beaucoup. Il n'avait jamais accepté la mort de ma mère et avait patiemment attendu mon anniversaire. Le jour même, pas un de plus. Ça lui faisait trop long apparemment. Sa mort aurait dû me détruire mais, à vrai dire, son geste ne m'a pas surpris, je m'en doutais tout en le redoutant. Il y faisait allusion en permanence, il me disait qu'il l'aimait toujours, parlait souvent de la retrouver, et m'expliquait, quand il refusait de me payer quelque chose de trop cher, qu'il préférait mettre l'argent de côté pour moi, pour plus tard, quand il ne serait plus là. Je ne sais pas si je lui en ai jamais réellement voulu. Je regrette juste qu'il ait choisi ce jour-là.

Mon passif est un peu lourd mais, bizarrement, je ne crois pas être un homme malheureux. Je l'ai été bien sûr, énormément, mais je me suis toujours relevé. Il faut dire que j'adore rire, la rigolade c'est mon truc, alors ça va. C'est peut-être pour équilibrer avec les larmes. Je l'espère, parce que si c'est le cas je vais encore beaucoup me marrer, vu le stock de peine que je traîne depuis ma jeunesse. Aujourd'hui, question bonheur, je crois que je suis dans la moyenne. Mais l'existence de Dieu, forcément jusqu'à il y a peu, j'étais pas convaincu. Comment pourrait-il

21

s'intéresser à un pauvre mec comme moi, qui bosse toutes les nuits dans un sex-shop ? Ça n'a pas de sens. Je ne sais pas moi, si j'étais Dieu, je choisirais un mec bien, avec un bon boulot, une femme, des enfants, quelqu'un de normal en somme, dans le rang. Mais moi, je suis qui pour l'intéresser un tant soit peu ? Un type de trente balais qui a choisi ce drôle de job pour payer ses études et qui, bien sûr, a préféré lâcher la fac plûtot que le boulot. Un mec sans but dans la vie si ce n'est de ne pas trop galérer, un mec dont la seule responsabilité est de bien conseiller les clients qui viennent s'approvisionner en films porno mêlant hommes, femmes, transsexuels, accessoires divers et variés, et ce dans toutes les combinaisons possibles et imaginables, un mec seul, plus de famille, pas vraiment d'amis, qui plaît aux filles mais qui n'a jamais su en garder une, un mec qui ne sert à rien, finalement. Et puis, surtout, pourquoi aurait-il choisi un non-croyant ? C'est vrai, je n'ai jamais cru en Dieu, après tout. Pourtant je sais que tout cela est réel, que je n'ai pas rêvé. Alors maintenant il faut que je sache :

« Dieu ?

– Oui ?

– Voilà, je voulais simplement savoir pourquoi tu m'avais choisi alors que je suis non-croyant.

– Je t'arrête : tous les Hommes sont croyants.

– Ah non ! J'étais pas croyant jusqu'à ce qu'on se connaisse. Encore que moi, je m'en foutais un peu, mais il y a des gens, ma grand-mère par exemple, je me souviens que...

– Je sais, mamie Andrée, elle n'aimait pas la religion, elle te disait toujours que les religieux sont des cons, que Dieu est une supercherie inventée pour faire espérer ceux qui n'ont plus rien et que s'il existait ce Dieu, ce serait un beau salaud de laisser tous ces gens mourir de faim dans le malheur et la misère, et qu'elle aurait deux mots à lui dire à ce Dieu qui vous regarde crever seuls et tristes.

– Eh bien, tu vois !

– Justement, elle croyait en moi beaucoup plus que d'autres puisqu'elle m'en voulait. Les gens qui pensent comme elle ne m'aiment pas, donc j'existe, sinon ils ne penseraient même pas à me dire mes quatre vérités. Je ne vais pas m'étendre sur le sujet mais sache que tous les Hommes croient en moi, qu'ils en soient conscients ou non, qu'ils se revendiquent de moi ou me combattent en tant qu'idée. Les scientifiques qui passent leur temps à prouver que rien n'est divin, les anarchistes sans Dieu ni maître qui ont peur de mon existence car ils abhorrent toute domination, les intellectuels et les innocents, tous ceux qui me fustigent et m'assaillent, tous croient en moi, à leur façon. Craindre, se méfier, nier, redouter, caricaturer, tenter de prouver, être certain, douter : tout cela, c'est faire exister. C'est croire.

– Bon, à la limite, mais pourquoi tu m'as choisi, *moi* ?

– Parce que j'aime la compagnie, tout simplement. Mais, pour tout te dire, je ne t'ai pas vraiment choisi.

– Alors t'as tiré au sort ? J'ai gagné au loto du ciel ?

– Non. En fait, tu t'es imposé à moi. C'était toi ou personne d'autre.

– T'es en train de me dire que Dieu ne pouvait parler à aucun autre homme que moi ? C'est une question d'intelligence, c'est ça ? Il te fallait quelqu'un à ta hauteur, quoi ! Trop la classe ! Je ne pensais pas être un tel génie, ça fait plaisir, vraiment !

– Attends, tu t'emballes un peu trop, là… Écoute, il y a bien une raison, c'est vrai. Une raison qui pour toi n'est pas extraordinaire, mais qui l'est pour moi.

Quelque chose de précieux, qui fait de toi quelqu'un d'unique.

— Ah ? C'est quoi ?

— Je ne dois rien te révéler pour l'instant.

— Allez, tu peux bien me le dire !

— Non, parce que tu n'as pas encore cette raison en toi.

— J'ai rien compris…

— C'est quelque chose que tu auras dans le futur, avec le temps. Donc je te le dirai plus tard, bien plus tard.

— Donne-moi au moins un indice !

— On ne joue pas au Cluedo. N'insiste plus sinon je te renvoie !

— Dis-moi juste : c'est une bonne raison ? Je veux dire, c'est positif ?

— Oui, c'est positif. Sois patient. Allez, à bientôt. »

C'est encore calme ce soir, vraiment pas grand monde. Ah tiens, une fille seule, plutôt mignonne en plus. C'est vraiment rare une fille seule dans un sex-shop, surtout la nuit. Surtout mignonne. Les quelques fois où ça arrive, je me sens subitement l'âme d'un vendeur haut de gamme, un vrai pro. Qui, comme tout bon professionnel, a besoin de connaître les habitudes de vie de sa cliente, ses attentes et ses envies, afin de la conseiller au mieux. Elle vient directement me parler, c'est parfait :

« Bonsoir, en quoi puis-je vous être utile ?

– En rien merci, j'ai oublié mes lunettes de lecture quand je suis partie avant-hier. Dans le tiroir de droite, en bas je crois, si vous pouviez me les donner.

– Ah, c'est vous qui m'avez remplacé ? Enchanté.

– Aussi. Vous les trouvez ?

– Euh… oui, voilà.

– Merci. Au revoir.

– Attendez, vous êtes pressée ?

– Non, mais je…

– Attendez une minute, parlez-moi des nuits où vous avez travaillé ici !

– Ma foi… c'était pénible, les hommes me regardaient comme si j'étais un mélange entre la femme la plus désirable du monde et, je ne sais pas, un monstre des abysses. J'avais l'impression d'être un morceau de viande en pâture mais dont les lions n'osaient pas s'approcher. D'être tabou au sens freudien du terme en somme, sacrée et interdite. Très étrange, et dérangeant. Vous avez lu Freud ?

– Pas trop.

– On ne lit pas "pas trop". Soit on lit soit on ne lit pas.

– Alors disons que je ne l'ai pas lu. Mais je le ferai !

– Non, vous ne le ferez pas. Moi je le lis pour mes études de psychanalyse, cela me passionne, mais quel intérêt pour vous ?

– Eh bien quand vous repasserez, nous pourrons en parler.

– Vu que les clients n'ont rien acheté en ma présence, je ne pense pas retravailler ici un jour, donc je ne reviendrai pas.

– Vous pourriez venir me voir ?

– Pardon ?

– Oui, pour discuter, passer le temps.

– Je suis étudiante, j'ai une vie, je ne vais pas passer mes soirées avec vous dans ce sex-shop.

– Regardez, il est une heure du matin, un mardi, vous êtes ici, ce n'est pas désagréable ?

– Mais ça n'a rien à voir, j'avais oublié mes lunettes, et comme je suis sujette aux insomnies…

– Raison de plus, venez quand vous n'avez pas sommeil, on discutera psychanalyse…

– Non, merci. Au revoir. »

Qu'est-ce qui m'a pris de la draguer ? Elle se la raconte cette fille avec son Freud, elle me méprise et moi je continue, tout sourire, « venez me voir pour discuter… ». Quel benêt ! Avec ses airs d'intello, il suffit qu'elle soit mignonne pour se permettre de me prendre de haut. Étudiante et snobinarde, tout ce qui m'énerve. Mais vraiment mignonne quand même.

C'est agaçant, j'ai pensé à cette fille toute la journée. Je me demande si elle reviendra ce soir. Mon père m'a dit un jour que quand une femme dit *peut-être* ça veut dire *non*, et que quand elle dit *non* ça veut dire *peut-être*. Donc je garde espoir… En prenant la relève de René tout à l'heure, j'en ai profité pour l'interroger sur elle, l'air de rien. Apparemment Alice – tiens elle s'appelle Alice, je ne lui avais même pas demandé – est la baby-sitter de je-sais-plus-qui du côté de sa femme qui était là quand j'ai appelé pour dire que j'étais malade et qui a suggéré de prendre cette Alice parce qu'en tant que future psy, le marché du sexe pouvait l'intéresser, qu'en plus, elle était jolie et qu'en plus encore, elle avait besoin d'argent. Alors René a dit « oui », bien sûr, il dit toujours « oui » René, il est comme ça. Il m'a demandé pourquoi elle était venue et si je la trouvais jolie, je lui ai répondu « pour ses lunettes » et « bof ». Il n'a rien ajouté.

Freud, qu'est-ce que j'en sais, moi, de ce mec ? Je ne vais pas avoir honte de pas en savoir grand-chose, non ? C'est pas ma faute si je n'aime pas lire ! De toute façon, elle ne reviendra sûrement pas, alors je

vais quand même pas pousser la porte d'une bibliothèque. Mais je pourrais peut-être…

« Dieu ?
– Bonjour.
– Tiens y a plus le flash ?
– Non, c'est inutile désormais, tu as évolué dans
ton rapport à moi, donc le besoin de mise en scène est
moindre. Tout cela ira en se normalisant, tu verras.
– Tu parles de mise en scène, donc les nuages par
exemple…
– Même chose. Si la première fois qu'on s'est vus
j'avais sonné à ta porte habillé en monsieur tout-le-
monde, tu aurais eu du mal à croire que j'étais Dieu,
non ? Alors j'ai utilisé les nuages, la grande barbe
blanche et tout le toutim. Et l'éclair pour faire classe.
– C'est vrai que je t'imaginais exactement de cette
façon. Pas très original… Avec le recul, je me dis que
c'est un truc de gamin…
– Oui, en quelque sorte, mais la plupart des gens
m'imaginent comme ça aujourd'hui. Il y a peu de
temps que j'ai une enveloppe charnelle, pendant très
longtemps je n'ai été qu'une lumière perçant les
nuages.
– Mais ta vraie apparence, c'est quoi ?
– Je n'ai pas de "vraie apparence". Je n'ai que
celle de votre imaginaire, la forme qui me rendra
crédible à vos yeux.
– Genre, si un mec t'imagine en poulpe, eh ben toi,
t'apparais en poulpe ?
– Oui. Mais ce n'est jamais arrivé, je te rassure.
– Dommage. En ragondin non plus ?
– Non plus. Avant que tu me fasses la liste de tous
les animaux qui t'amusent, dis-moi plutôt pourquoi
tu m'as appelé.
– Ah oui, en fait c'était juste par curiosité, mais je
me demandais, tu l'as bien connu, Freud ?… »

J'ai appris plein de choses sur la psychanalyse hier, Dieu est vraiment un bon prof, dommage qu'Alice ne soit pas venue. Je m'en doutais, mais malgré tout, j'avais un petit pincement au cœur chaque fois que la porte s'ouvrait. Du coup, j'ai demandé à René de me passer son numéro sous un prétexte un brin foireux. Par chance, il l'avait noté sur son petit calepin. Quand il me l'a donné, il avait un sourire en coin, n'importe quoi celui-là. Maintenant, j'ai les doigts sur le téléphone depuis une heure, mais je n'ai pas le courage d'appeler, je ne sais vraiment pas comment engager la conversation, et sous quel prétexte surtout, parce qu'il faudrait que ce soit un minimum crédible. J'en étais à ces réflexions quand quelqu'un est entré, j'ai lancé un « bonsoir » assez peu commerçant, sans lever les yeux du clavier, et j'ai senti une silhouette se planter devant moi. J'ai relevé la tête : Alice. Pas de panique. Surtout prendre un air détaché.

« Bonsoir.
– Tiens, c'est toi ? Tu avais oublié autre chose ?
– Non, je viens juste parler, comme tu me l'as demandé, passer le temps.

– Ah ? Eh bien, c'est gentil, je ne m'y attendais pas. En plus, c'est vraiment calme ce soir, j'ai juste vendu deux gros… euh, bref, ça me fait plaisir. Tu n'arrives pas à dormir ?

– Non. Je m'ennuie quand je ne dors pas, et j'en ai assez d'étudier pour aujourd'hui. Alors j'ai décidé de venir te voir. Bon, tu as lu Freud ?

– Tout à fait. Non seulement je l'ai lu, mais en plus, j'ai un ami qui l'a bien, enfin, bien étudié aussi. Je suis même certain que je vais t'apprendre quelque chose que tu ignorais : savais-tu que l'ami Sigmund était très complexé par la taille de son sexe ?… »

Allongé sur mon lit, je me dis en attendant le sommeil que ce soir, il faut le reconnaître, j'ai été très bon. Déjà, niveau psychanalyse j'ai été limite érudit. Pourtant à la base je suis nul en Freud, mais là, grâce à Dieu (ah tiens, j'ai compris l'expression maintenant), tout s'est bien passé, nickel. Et puis les réflexes de drague me sont revenus assez vite, malgré l'absence de rencontres féminines de ces derniers temps. Beaucoup écouter, parler peu mais bien, le débit retenu et la voix grave, le regard qui en dit long sans aller trop loin, bref, tout bien. Pourtant, je ne suis pas sûr de l'avoir totalement séduite, c'est fâcheux. Elle a bien ri plusieurs fois, mais j'ai l'impression qu'elle était un peu sur la réserve. Comme si elle ne voulait pas trop se dévoiler. En fait, ce qui m'ennuie c'est qu'elle ne m'a pas vraiment parlé d'elle, sinon de ses études, mais rien sur son passé, et pas grand-chose sur ses projets. Enfin, le principal c'est qu'elle m'ait laissé son numéro de téléphone avant de partir, je l'ai en double maintenant. Je sens qu'il va falloir que je m'accroche.

Je suis très fatigué mais impossible de dormir, c'est bizarre. Est-ce le fait d'avoir rencontré Dieu qui me met dans cet état, ou bien Alice ? Il y a pourtant quelques années que je ne vis pas grand-chose niveau émotions mais là, tout d'un coup, ça fait beaucoup. J'espère que je ne vais pas rêver cette nuit, parce qu'en principe, quand il se passe des choses dans ma vie, j'y ai droit. J'ai horreur des rêves, bons ou mauvais. Un rêve, c'est de la vie qu'on nous vole. On ne peut rien contrôler, on ne comprend jamais ce qui se passe, et après on se pose des questions pendant des heures, ça peut même vous gâcher la journée. La dernière fois que j'ai rêvé, j'arrivais chez moi et il y avait un énorme nid sur mon lit. Un oiseau en est sorti – c'était une alouette d'après ce qu'il m'a dit – et il a tellement insisté pour m'apprendre à danser que j'ai accepté. Alors je me suis retrouvé dans mon salon à danser une valse avec un oiseau grand comme moi, chose qui n'avait pas l'air de me perturber outre mesure. Voilà. J'ai bien essayé d'en tirer une quelconque signification, mais il y a de quoi devenir dingue. Faudra que je demande à Dieu, un jour. Enfin, ce soir exceptionnellement, je veux bien rêver d'Alice.

Ce que je craignais est en train de se produire. Depuis deux soirs, elle n'est pas revenue. Deux hypothèses, donc : soit je ne lui plais pas vraiment, auquel cas on n'en parle plus, soit elle estime que, m'ayant laissé son numéro, c'est à moi de faire le premier pas, ou plutôt le second. Jusqu'à présent, j'ai toujours eu la chance que ce soient les femmes qui viennent me chercher, qui me choisissent en quelque sorte, mais là je crois bien qu'il va falloir que j'y mette du mien. Alors c'est décidé, je l'appelle :

« Allo ?

– Bonjour Alice, comment vas-tu ?

– Ah c'est toi ? Je commençais à croire que tu avais perdu mon numéro !

– Mais non, voyons ! C'est juste que, euh…

– Tu veux que je vienne ce soir ?

– Oui je veux. Enfin, je veux bien, oui. Si tu en as envie.

– Alors à ce soir. Bisou ! »

Et voilà, emballé c'est pesé ! En même pas dix secondes en plus ! Vraiment, quel séducteur ! C'est vrai, rien ne sert d'être modeste, il faut être honnête avec soi-même. Un coup de fil, un rencard, point final. Ce soir, je vais mettre une chemise, tiens.

« Ne mets pas celle-là, elle n'aime pas le noir.

– Tu peux pas prévenir quand tu arrives, non ? Bon, alors elle aime quoi comme couleur ?

– Le bleu, c'est mieux.

– Mais dis donc, c'est légal ce que tu fais là, de me dire des trucs sur elle ?

– Légal ? C'est la meilleure !

– T'as bien compris ce que je voulais dire…

– Écoute, je te conseille comme un ami, à la différence que je suis un ami qui sait tout, mais si ça te pose un problème moral, je ne te dis rien, c'est comme tu veux.

– Non pardon, vas-y. Donc je mets la bleue. Qu'est-ce qu'elle aime, encore ?

– Je te le dirais bien mais je ne voudrais pas me retrouver en prison…

– Tu ne laisses rien passer, toi ! Je te demande pas de choses trop intimes, juste comment lui plaire.

– Une petite barbe de trois jours et ce sera parfait.

– Ouais, mais moi je me suis rasé ce matin, donc c'est raté. Sinon, rien d'autre ?

– Rien, non. Bonne chance. »

Je suis nerveux, elle aussi apparemment. Elle ne parle presque pas. Pourtant les choses avaient bien commencé. Quand elle m'a fait la bise en arrivant elle m'a dit que je piquais un peu, mais que ça m'allait très bien. Je n'ai pas compris sur le coup, mais je me suis touché la joue et j'ai senti la petite barbe. Bien joué, Dieu, je ne m'en étais même pas rendu compte. Après avoir échangé quelques banalités, l'atmosphère est devenue un peu lourde, avec beaucoup de silences, de très gros anges sont passés.

Je ne m'en sors pas vraiment, je n'ai pas réussi à la faire rire comme la dernière fois, et je ne sais plus quoi tenter. Maintenant, elle me dit qu'elle doit y aller. C'est sûr, elle en a marre, tant pis pour moi. Elle fait le tour du comptoir pour me dire au revoir. Je suis dégoûté.

« Embrasse-la, imbécile !
– Qu'est-ce qu'y a ?
– Mais tu allais lui faire la bise, voyons !
– C'est normal attends, elle est bizarre, elle m'a presque rien dit !
– C'est parce qu'elle est dans le même état que toi ! Vous attendez exactement la même chose mais personne ne se lance… À vous voir, on croirait des adolescents, je te jure, quinze ans tous les deux !
– Bon, je vais essayer de l'embrasser, mais si je me prends un vent je te préviens, ça va mal se passer !
– Oh, des menaces ! Regarde mes mains, tu vois comme je tremble ? Non ? C'est normal. Écoute, ça va marcher, j'accélère juste un peu les choses, parce que si je vous laisse faire, on y sera encore dans des semaines. Alors dépêche-toi. »

Drôle d'endroit pour un premier baiser. J'ai pris sa main quand elle est venue vers moi et on s'est embrassés, là, entre les godemichés géants et les tenues sado-maso. Comme dit le proverbe, peu importe le flacon, pourvu qu'on ait l'ivresse. Derrière le comptoir de ce flacon de vice, je m'enivre de la douceur de ses lèvres, de la chaleur de notre étreinte. De ces quelques gorgées de bonheur.

Tout cela c'est grâce à lui. J'ai vraiment de la chance de l'avoir comme ami. C'est marrant de se dire ça quand j'y pense. Dieu est un pote à moi.

« Tu avais raison, on s'est embrassés, merci beaucoup !

– Eh bien, quel enthousiasme !

– Avoue qu'elle est magnifique, et intelligente en plus ! Je suis vraiment content, sur un petit nuage comme on dit… Le paradis doit ressembler à ça, non ?

– Pardon ?

– Je dis que le paradis doit se rapprocher de ce que je ressens là, non ? Rapport à l'expression "sur un petit nuage".

– Quel paradis ?

– Attends, le paradis, il existe, quand même ?

– Non.

– Comment ça "non" ?

– "Non" est un adverbe exprimant la négation. Et c'est un palindrome, accessoirement. "Non" signifie que le paradis n'existe pas.

– J'avais bien compris merci, mais tu te rends compte de la froideur avec laquelle tu me l'annonces ? Tu veux me casser mon bonheur ou quoi ?

– Mais tu espérais quoi ? Qu'une fois mort, il te pousserait des ailes dans le dos et un cerceau sur la tête ? Que tu emménagerais tranquille dans le ciel, et que tu pourrais tailler le bout de gras avec Coluche et Napoléon, et pourquoi pas te refaire la partie de cartes avec Raimu ? Eh bien non.

– Alors quand on meurt y'a rien ?

– Si, il y a la Question.

– La question ? Quelle question ?

– Bien, écoute-moi attentivement parce que je vais te révéler quelque chose d'essentiel. De primordial.

– Du genre, secret de Dieu ?

– On peut le dire comme ça, oui… Bon, tu m'écoutes ?

– Je suis tout ouïe.

– Alors j'y vais. Après la mort, il n'y a rien, ni enfer, ni paradis, rien. Mais au moment de la mort il y a quelque chose. À l'instant de leur dernier battement de cœur, tous les Hommes me rencontrent. Je leur révèle alors mon existence et, ensuite, je leur pose la Question.

– C'est quoi cette question ?

– Pas *cette* question, mais *la* Question. La seule qui compte vraiment.

– Dis-la-moi !

– Bien sûr que non. Tu n'es pas sur le point de mourir, que je sache ?

– Pour le coup, tu dois en savoir plus que moi.

– Ce n'est pas pour tout de suite, je te rassure.

– Mais si je suis unique comme tu dis, si tu m'as choisi de mon vivant, c'est que je suis prêt à l'entendre !

– Non. La raison de notre rencontre, tu la connaîtras avant ta mort, je te le promets. Pour la Question, en revanche, tu n'en sauras plus que lorsque ton cœur aura cessé de battre. Tu seras dans la même situation que tous les Hommes. On n'est prêt qu'à ce moment-là. À bientôt. »

Je suis déçu pour le paradis, mais il m'a tellement aidé avec Alice que je ne peux décemment pas lui en vouloir. Par contre, cette histoire de question m'a chamboulé, je n'arrête pas d'y penser. Ma vie a quand même changé depuis qu'on se connaît lui et moi. Enfin, ma vie à l'intérieur.

Elle est revenue hier, et ce soir elle est restée jusqu'à ce que je finisse. Nous sommes rentrés ensemble, chez elle. Tout naturellement, de façon silencieuse, elle m'a pris par la main et m'a dirigé vers sa chambre. Là, je l'ai déshabillée, je tremblais un peu – il ne faisait pas froid pourtant –, et nous avons fait l'amour. Nous n'avons pas fait l'amour comme dans un livre ou dans un film, mais comme on fait l'amour la première fois avec quelqu'un. On est un peu nerveux, on essaie de ne pas confondre vitesse et précipitation, désir et soif de l'autre, on voudrait ne penser à rien et pourtant on pense à trop de choses, on est un peu maladroit… Ne pas aller trop vite, avoir l'air sûr de soi, ne pas laisser de temps mort alors qu'on a tout le temps, et puis on sent bien qu'il y a quelque chose en plus, quelque chose de différent qu'on n'a pas connu avec les autres, les gestes se ressemblent mais l'intention est différente, le cœur ne bat pas plus vite mais il bat plus fort, la main caresse de la même façon mais elle est plus chaude. Enfin le plaisir est arrivé, un plaisir qui submerge, plus fort que tout. Un instant indescriptible. Pendant ces quelques secondes, mes jambes ne me tenaient plus, la neige a envahi mon regard, mes oreilles sifflaient. Tous mes sens étaient hors d'usage. Seul le plaisir restait, rien d'autre.

On parle souvent d'un sixième sens : ce sixième sens, c'est le plaisir. Lui seul dirige les cinq autres : il s'en sert pour naître, les éteint pour exister, les ranime avant de mourir.

Cette première nuit a été fantastique. Vraiment. Et les suivantes ont été semblables, on ne pouvait plus s'arrêter de faire l'amour. Enfin, Alice surtout, parce que moi au bout de trois jours à ce rythme-là, j'ai été victime d'une fatigue passagère, un petit coup de mou pour ainsi dire. J'ai préféré prendre les devants et récupérer au sex-shop un gel aphrodisiaque dont plusieurs clients m'avaient vanté les mérites. Quand elle m'a fait comprendre qu'elle ne serait pas contre une troisième fois d'affilée, j'ai eu un peu de mal à démarrer. Je suis donc allé m'isoler un instant dans la salle de bains où, prévoyant, j'avais caché le petit flacon. J'ai commencé à m'en appliquer un peu, en suivant scrupuleusement les instructions de la notice…

« Eh bien, il perd de sa superbe notre Casanova ! Quelle honte !
— Dieu s'il te plaît, pas maintenant !
— Je suis désolé, je ne pouvais pas résister !
— T'es bien gentil monsieur le comique, mais tu t'es mis à ma place une seconde ? Comment veux-tu que je retourne voir Alice et que je reparte pour un tour ? Tu m'as tout cassé !
— Crois bien que j'en suis navré, mais reconnais qu'une bonne rigolade vaut bien quelques sacrifices !
— Ouais… Surtout quand c'est toi qui rigoles et que le sacrifice est pour ma pomme…

– Je peux me rattraper si tu veux. Je n'ai qu'à claquer des doigts et hop, tu auras la vigueur d'un jeune et fougueux étalon ! Ça te dit ?

– Non merci, j'ai plus envie avec tes bêtises. En plus, je sais que tu vas me regarder, petit vicieux… »

Il me sourit, fait un mouvement de la main et je me retrouve dans la salle de bains, toujours nu avec mon flacon dans la main, me sentant tout à fait ridicule. Je ne pourrai plus faire l'amour à Alice ce soir. Il faut vite que je trouve une excuse, en plus elle m'appelle :

« Alors qu'est-ce que tu fais ? Je t'attends !

– Euh… j'arrive ! Je cherche juste de l'aspirine parce que j'ai une grosse migraine tout d'un coup. Je ne me sens pas très bien, je crois que je couve quelque chose… »

An un

Ça y est, on saute le pas. On emménage aujour-d'hui, ni chez moi ni chez elle, mais ailleurs, chez nous, dans notre appartement. Le pas n'est fina-lement pas si grand puisque dans les faits, on vit ensemble depuis le début, pratiquement. Mais si pour moi, c'est une suite logique à notre relation, pour elle, c'était beaucoup plus compliqué. Elle devait enjamber un gouffre, celui de sa peur. Elle ne me l'a pas dit, mais elle me l'a écrit. Un petit mot sur la table basse à mon réveil comme elle m'en laisse souvent, pour tout et pour rien, car elle sait mieux écrire que dire :

« Mon Homme,

Pour la plupart des gens, la naissance des senti-ments est un moment précieux, un bonheur venu de nulle part. Pour moi, commencer à aimer l'autre sans savoir si je suis aimée en retour est un moment de réelle souffrance, une mise en danger insupportable. Si lorsque naissent les sentiments, certains ont le rose qui monte aux joues, moi j'ai le noir qui monte au cœur. Noir de questions et noir de peur. Alors tu dois m'aimer. Tu dois me le dire et me le montrer. Tout le temps, chaque jour. Et ne m'en veux pas, mais il me faudra du temps avant de dire *je t'aime*. »

Moi je n'ai jamais hésité à lui dire *je t'aime*, ça me paraissait tellement évident. J'en ai été le premier surpris, car jusqu'ici je n'avais jamais été le roi du sentiment, ni de la relation réussie d'ailleurs. Mais là, vraiment, c'était autre chose. Je le lui ai dit assez vite, après deux ou trois semaines je crois, et je le répétais régulièrement. Après ce petit mot qu'elle m'a laissé, je n'ai cessé de le lui assener. Un flot de *je t'aime*, je t'aime quand on se tenait la main, je t'aime quand on s'embrassait, je t'aime quand on faisait l'amour, je t'aime quand on ne faisait rien, je t'aime quand je n'avais rien à dire, je t'aime quand on s'était tout dit, je t'aime pour briser le silence, et, quand je le lisais dans ses yeux, je disais *je t'aime* à sa place. Je voyais que ça lui faisait du bien, après chaque *je t'aime* elle me souriait, émue, caressait ma joue avec le dos de sa main, ou se blottissait dans mes bras. Et puis un jour, il y a trois mois à peu près, elle me l'a enfin dit. J'ai l'impression que les mots lui sont sortis tout seuls, sans qu'elle l'ait voulu. Elle a eu un petit mouvement de recul, puis elle s'est jetée dans mes bras comme pour s'y cacher, et m'a serré, longtemps. Elle respirait très fort, moi aussi. Je lui ai dit qu'on devrait prendre un appartement ensemble, sa tête a fait oui contre mon torse.

On va se plaire ici. Je le sens. De toute façon, je ne demandais pas autre chose que de vivre avec elle. Pour le reste, le travail est tranquille comme il l'a toujours été, les études d'Alice sont finies, l'année prochaine elle devrait ouvrir son cabinet, bref, tout roule. Et je n'ai pas peur.

Ce soir, c'est doublement la fête. On pend notre crémaillère et, en plus, on célèbre le doctorat d'Alice. On a mis les petits plats dans les grands, enfin le traiteur surtout. C'est agréable que ses parents soient aisés, quoique, aisés c'est eux qui le disent, la vérité c'est qu'ils sont riches, ou presque. C'est sûr qu'au début, ils n'étaient pas ravis que leur fille sorte avec un mec comme moi, surtout niveau boulot, mais les choses se sont vite arrangées, ils me trouvent intelligent paraît-il. C'est ce qu'Alice m'a répété, moi j'aurais cru gentil ou drôle plutôt, toujours est-il que ça se passe bien, d'autant qu'on ne les voit pas trop souvent. La seule chose qui m'ennuie un peu dans cette fête, c'est que je n'ai qu'un seul invité à moi, René, alors qu'Alice en a plein, du fait de ses études. Je n'aime pas trop quand il y a tant de monde, ça fait toujours beaucoup de bruit, alors que j'apprécie par-dessus tout le calme et le silence. Au fur et à mesure que ses amis arrivent, elle me présente ceux que je ne connais pas, ce qui ne sert à rien étant donné que je n'ai jamais pu retenir les prénoms de ceux que j'ai déjà côtoyés, sauf Elvire, parce que c'est original et qu'elle rit toujours à mes traits d'humour, et Thomas, parce que ça crève les yeux qu'il est amoureux d'Alice. C'est pas que ça me dérange, je le comprends, c'est juste que je surveille.

On est une bonne quinzaine, et le repas est assez difficile à supporter pour moi parce qu'ils parlent uniquement de leur doctorat. Il y a ceux qui l'ont raté à cause du jury ou du sujet – apparemment rien n'est de leur faute –, et ceux qui l'ont obtenu grâce à leur travail acharné et une dose certaine d'abnégation. René, qui a eu l'idée saugrenue de ne pas s'installer à côté de moi, me regarde régulièrement avec un air dépité. Alors je hausse les épaules en faisant une tête qui veut dire « Eh ouais, il va falloir tenir tout le repas ! ». Pauvre René, il n'est pas à sa place ici, parmi tous ces jeunes. Je n'ai pas son âge c'est sûr, mais je m'ennuie ferme moi aussi. Le pire, c'est qu'il est prévu qu'on écarte les meubles pour danser, alors autant René va partir avant, autant moi, je suis bon pour continuer à trouver cette soirée très longue.

Je ne sais pas depuis combien de temps ils dansent, tous, mais je commence à n'en plus pouvoir. La musique est horriblement forte, le salon enfumé comme jamais, et la fille insupportable qui est assise à côté de moi ne danse pas non plus mais prend apparemment un grand plaisir à chanter à tue-tête toutes les chansons, sans exception. Et elle connaît toutes les paroles par cœur la bougresse, un vrai petit juke-box serti d'une immonde paire de boucles d'oreilles ! Le pire, c'est que de temps en temps elle me sourit en dodelinant de la tête et ses yeux me disent : « Allez, essaie toi aussi, tu verras c'est super ! La vie est plus belle quand on chante ! » Il me faut un peu de calme, un répit, juste quelques instants. J'appelle Dieu tout doucement, sans faire bouger ma bouche, mais il ne répond pas. Et l'autre qui chante de plus belle… Je respire un bon coup, essaie un peu plus fort, mais toujours rien. Je n'en peux plus, je suis à bout…

« DIEU ! »

Tout le monde me regarde, c'est terrible. J'ai crié « Dieu » pile à l'instant où la musique s'est arrêtée, entre deux chansons, et là, non seulement je ne me retrouve pas dans les nuages, mais en plus tout le monde a les yeux braqués sur moi, la mine éberluée. Alice surtout, qui s'approche à toute vitesse :

« Qu'est-ce que tu as dit ?
– Hein, moi ? Rien.
– Mais si, tu as hurlé "Dieu" ! Ça va pas ou quoi ?
– Mais qu'est-ce que tu me racontes ? J'ai pas crié "Dieu", j'ai crié, euh… "Du feu !"
– Ah ! Et pourquoi faire, du feu ? Tu fumes maintenant ? Je sais ce qu'il y a… Toi, tu n'as pas l'habitude, alors donne-moi ça ! »

Elle m'arrache mon verre de la main et va le poser sur la table en faisant non de la tête, les yeux au ciel. Heureusement, elle ne l'a pas reniflé, parce qu'il n'y avait que de l'orange dedans. La musique repart.

« La prochaine fois, tu sauras que si tu m'appelles seulement dans ta tête, ça marche aussi. Et que je ne suis pas à ta disposition immédiate. Ne va pas croire que je l'ai fait exprès, tu me connais… En tout cas, j'ai bien ri ! »

La honte.

En me serrant la main au moment de partir, Thomas a cru bon de me dire : « Tu as beaucoup de chance… » et m'a regardé droit dans les yeux, avec un sourire qui paraissait presque sincère. J'ai rapporté la scène à Alice, ajoutant que je ne voulais plus qu'on voie ce mec. Elle a acquiescé. Un peu plus tôt, Elvire m'avait confié qu'Alice avait beaucoup de chance, je lui ai fait remarquer qu'elle avait eu son doctorat elle aussi, mais elle n'a rien ajouté. Alors j'en suis resté là.

An trois

Dire que je trouvais du dernier ridicule ces gens qui pleurent à leur propre mariage, me voilà servi. En voyant Alice dans sa belle robe blanche, je pleure comme un gosse. Et le pire, c'est que je n'ai même pas honte. Je me marie, moi. Incroyable ! Il y a quelque temps, quand je projetais de la demander en mariage, je m'étais fait la réflexion que, tout de même, c'était mon destin de l'épouser. J'ai voulu en avoir le cœur net :

« Dieu ?
– Oui ?
– Juste une question : Alice et moi étions-nous destinés à nous rencontrer ?
– Oui.
– J'en étais sûr…
– Mais au risque de te décevoir, c'est pareil pour tout le monde, et pour tout le reste. Le destin est un terme qui n'existe que parce que les Hommes croient. Vous vous êtes rencontrés *donc* c'était votre destin, et non pas *parce que* c'était votre destin. On le sait après, pas avant.
– Je vois, la nuance est de taille.
– Pour faire court, le destin est un synonyme du mot "réalité". Dire "c'était mon destin" revient à dire

51

"ça m'est arrivé", tout le reste n'est que croyance ou superstition, c'est la même chose. Simplement vous voulez donner à cette réalité un sens particulier, un relief positif ou négatif. Vous parlez du destin pour des amours folles ou des décès tragiques, la plupart du temps. Mais jamais pour ce qui est anodin. Par exemple, tu as mangé un sandwich tout à l'heure ?

– Oui.

– Eh bien, manger ce sandwich était ton destin. C'est la même chose que pour Alice, désolé.

– Ouais bon, j'aurais peut-être pas dû te demander finalement… Mais c'est fait, merci quand même. Ciao ! »

C'est le seul aspect négatif de ma relation avec lui : je perds un peu du rêve, du fantasme, du romanesque des choses puisque je peux tout savoir. Après y avoir réfléchi, je me suis dit que je lui avais peut-être posé la mauvaise question. Le destin c'est une invention, d'accord, mais tout l'amour que j'ai pour elle, ce n'est pas du fantasme ça, c'est bien réel. J'ai alors demandé à Dieu si Alice était la femme de ma vie, et là, il m'a simplement répondu oui. Il a ajouté que je le savais déjà, donc que sa réponse ne dévoilait pas grand-chose. C'est sûr que je le ressentais vraiment fort en moi, mais bon, on ne sait jamais, une garantie en plus ne fait pas de mal. Et quand Dieu vous confirme que vous aimerez une femme jusqu'à la fin de votre vie, je ne vois pas d'autre option que de la demander en mariage.

J'avais envie de le faire de façon originale mais simple, alors je me suis un peu creusé la tête et j'ai trouvé : un soir, discrètement, j'ai accroché la bague à son trousseau de clés. Le lendemain matin, je prenais encore mon petit déjeuner quand elle est partie travailler. Elle est sortie en me disant au revoir mais elle n'a rien remarqué. J'étais un peu déçu, quand quelques secondes après, elle a rouvert la porte et s'est lentement dirigée vers moi avec un air ébahi :

« Tu veux te marier avec moi ?
– Oui.
– Pour la vie ?
– Non, juste pour une semaine, après on verra... Mais oui pour la vie ! »

Elle m'a sauté dessus et, dans son élan, a envoyé valdinguer mon petit déjeuner. Le café par terre, le bol brisé, et pendant ce temps elle m'embrassait, elle m'étouffait de baisers. Pour une maniaque de la propreté comme elle, ça voulait forcément dire oui.

Alice n'a pas envisagé un instant qu'on se marie à l'église, c'était évident pour elle, une non-tradition familiale. Du coup j'étais très embêté par rapport à Dieu.

« Tu sais, rapport au mariage, on n'est pas vraiment d'accord Alice et moi...
– Ah, elle ne veut plus t'épouser ? C'est rassurant, elle semble avoir retrouvé la raison juste à temps !
– Sois sérieux deux minutes s'il te plaît, je dois t'annoncer quelque chose qui m'ennuie beaucoup. Voilà : Alice ne veut pas se marier à l'église.
– Et donc ?
– Et donc je ne voudrais pas que tu m'en veuilles, peut-être que tu espérais qu'on se marie devant, euh, devant toi comme on dit ! Sincèrement, je tiens à m'excuser, mais je crois que je n'arriverai pas à la faire changer d'avis... »

Il semblait amusé de me voir si ennuyé, il avait son petit sourire que j'aime bien. Mais très vite il m'a rassuré et certifié que ça ne lui posait pas le moindre problème. Quand je lui ai demandé pourquoi, il m'a répondu que si tous les couples s'aimaient aussi fort que nous, le mariage pourrait bien ne pas exister, ça ne le dérangerait pas le moins du monde. J'ai trouvé ça gentil, ça m'a fait plaisir.

C'est drôle un mariage. Moi aux mariages des autres, j'avais toujours tendance à m'ennuyer ferme, du coup pendant le repas je m'amuse à regarder discrètement les gens, et j'en vois quelques-uns qui, effectivement, semblent avoir une irrépressible envie de rentrer chez eux. Je les comprends, forcément, mais s'ils étaient à ma place… s'ils avaient la chance de se marier avec Alice, d'être aimés par elle, de vivre avec elle au jour le jour… ils sauraient que ce mariage est une évidence.

On avait prévu de faire chacun un petit discours avant la pièce montée, enfin, quand je dis qu'on avait prévu, c'est surtout sa mère qui avait insisté. Alors la veille on a écrit chacun son discours sur un bout de papier, sans que l'autre le lise, pour garder la surprise. J'avais un peu honte de dire de telles choses devant tout le monde, mais je me suis lancé. Un truc bateau où j'essayais tant bien que mal d'expliquer mon bonheur, comme ma vie avait changé, comme j'étais enchanté que les gens soient là, comme ma femme était belle. Je n'ai jamais su écrire de toute façon, mais bon, au moins c'était fait. Quand est venu le tour d'Alice, elle a juste dit : « Merci à tous d'être là, du fond du cœur », et elle s'est rassise. Je lui ai fait remarquer qu'elle m'avait un peu arnaqué, que je l'avais vue écrire hier, pourtant. Elle m'a alors répondu que ce qu'elle avait écrit n'était que pour moi, et ne regardait personne d'autre. Elle a mis le bout de papier dans ma main, discrètement. Je l'ai déplié entre mes genoux, sous la table, pour que personne ne me voie. Dessus, il était écrit :

« Merci d'être là. Du plus profond de mon cœur. »

Le repas terminé, l'ambiance a monté d'un cran. L'alcool aidant, les vieilles tantes ont enfin daigné se défaire de leurs immondes chapeaux, et les jeunes femmes se sont peu à peu délestées de leurs boléros, affichant leurs affolants décolletés pour le plus grand plaisir des mâles célibataires, et de quelques autres aussi. Un vieil oncle d'Alice, au costume aussi terne que la mine de sa femme, s'est semble-t-il laissé enivrer par l'impressionnant panorama d'une demoiselle d'honneur et l'a invitée à danser un rock survitaminé. Il se démenait comme un pauvre diable pour être à la hauteur de sa jeune partenaire, on aurait dit un pantin épileptique, avec option sueur abondante. Coup de chance pour lui, la chanson suivante était un slow. Il en a donc profité pour se coller au maximum à sa nouvelle dulcinée, il avait l'air aux anges, tellement qu'il en a oublié sa femme qui, jusque-là, faisait mine de ne rien voir. Mais quand il a eu le malheur de balader une main dans le bas du dos de sa jeune conquête, elle s'est précipitée sur la piste et lui a hurlé un tonitruant : « Henri ! On rentre ! Et tout de suite ! » qui a fait exploser de rire la moitié de l'assistance, et consterné l'autre moitié. Moi j'ai ri, bien sûr. Et l'ambiance est repartie de plus belle.

Autant tout le mariage a été une réussite, autant ma fin de soirée a été un peu amère. Au moment de partir, René est venu m'embrasser et m'a remercié pour la douzième fois de l'avoir choisi comme témoin. C'est vrai que ça lui a fait plaisir, j'ai même cru qu'il allait verser une petite larme au moment de signer le registre, ça m'a fait drôle de le voir dans des états pareils. Je lui ai demandé si je pouvais lui parler une minute avant qu'il ne parte, et lui ai annoncé ma décision d'arrêter le sex-shop :

« Je suis marié maintenant, et j'en ai un peu assez de croiser Alice une heure le soir, entre le moment où elle rentre et celui où je viens travailler. J'ai envie d'avoir une vie de couple plus stable, avec des horaires classiques, tu comprends ?

– Pourtant, depuis que vous êtes ensemble, ça marche bien, non ? Ça t'a pas empêché de te marier que je sache ?

– Non c'est sûr, mais j'ai envie de me poser…

– Mais pourquoi tu veux tout changer ? Si c'est une question d'argent, je peux t'augmenter tu sais !

– Le problème n'est pas là, comprends-moi, René…

– Ce que je comprends, c'est que si tu l'as rencontrée, c'est grâce à moi, tout allait bien et maintenant, tu veux partir, tu veux me laisser !

– Ne le prends pas comme ça...

– Je le prends comme tu me le donnes ! Vas-y, fais ta vie avec ta psy, je suis plus assez bien pour toi maintenant, monsieur a honte de son travail...

– Enfin, René, tu es mon témoin, de quelle honte tu parles ? Ça n'a rien à voir !

– Si, ça a à voir, elle t'a embobiné, alors fais ta vie, laisse-moi seul, je te sers plus à rien maintenant de toute façon ! Et puis écoute, c'est pas la peine de revenir, je t'envoie ton chèque et on n'en parle plus.

– Mais...

– Y a pas de mais, c'est bon, c'est réglé. Allez, bonne lune de miel, amusez-vous bien, je me débrouillerai sans toi ! Au revoir. »

Il a pris sa femme par la manche et il est parti. Comme ça.

J'étais un peu troublé par cette scène, mais j'ai décidé de ne pas m'en faire, pas ce soir. Ça lui passera. Une fois la soirée finie, nous sommes allés dans la suite que nous avions réservée pour notre nuit de noces. On s'était bien mis d'accord sur le fait de ne pas trop boire ni trop manger durant la soirée pour ne pas gâcher notre première nuit de mari et femme. J'avais lu quelque part une étude statistique des plus sérieuses comme quoi la majorité des nuits de noces, loin d'être d'intenses parties de jambes en l'air, n'étaient que festivals de migraines et ronflements. La faute à l'alcool. Nous, on voulait un grand moment sentimental et passionné, une véritable explosion de plaisir. Elle s'est isolée dans la salle de bains, en est sortie vêtue d'une nuisette en soie noire à tomber, et je suis allé prendre une douche rapide, moi aussi. Après avoir passé un peignoir et m'être recoiffé un peu, j'ai enfin ouvert la porte et là, mon sang n'a fait qu'un tour : Alice était assise sur le bord du lit, avec dans sa bouche… son pied. Elle était véritablement en train de se rogner les ongles des pieds, là, devant moi. Je suis resté pétrifié par cette vision, incapable de réagir. Puis elle m'a regardé et a dit le plus naturellement du monde :

« Ben quoi ?
– Mais chérie, qu'est-ce qui t'arrive ?
– C'est ces ongles qui me gênent. Tire pas cette tête, on est mariés maintenant, on va pas faire semblant !
– Alice, c'est pas possible, pas toi, pas ce soir… »

Et là, elle a éclaté de rire et elle m'a dit : « Mais c'est moi, idiot ! »

Et hop, elle s'est transformée en Dieu. Ou plutôt c'est lui qui reprenait sa vraie forme après avoir éhontément emprunté celle de ma femme !

« J'y crois pas ! Ça t'amuse, on dirait ?
– Ah ! Tu aurais dû voir ta tête, c'était formidable ! Toute la désillusion du monde s'est abattue sur ton visage, un grand moment !
– Et il est fier de lui en plus ! Mais comment t'as fait, elle est où Alice ?
– Alice est dans votre suite, c'est toi qui n'y es plus ! Eh oui, vu qu'il n'y a plus le flash, au moment où tu allais sortir de la salle de bains je t'ai fait venir ici, j'ai juste recréé la chambre et tout ce qui va avec. Et voilà, monsieur a cru que son rêve de princesse charmante s'était évaporé ! Je suis trop fort, vraiment… »

Et il continuait de rire. Soulagé, je suis rentré dans son jeu et me suis mis à rire, aussi. Après tout, si j'avais ses pouvoirs, je ferais la même chose, ou plutôt non, je ferais bien pire. Toujours à son hilarité, il m'a fait au revoir de la main et je me suis retrouvé dans la vraie salle de bains. J'en suis sorti et ai posé mon regard sur mon Alice, la vraie, confortablement installée dans le lit. Elle m'a regardé, a dégagé les draps de mon côté du lit et m'a dit :

« Qu'est-ce que c'est que ce sourire ?
– Rien, mon amour. Rien que du bonheur. »

An cinq

J'ai du mal à me rendre compte que cette chose à l'aspect rond et sale qui est en train de déformer terriblement – voire irrémédiablement – le vagin d'Alice est le début de mon fils. La tête est sortie, puis les épaules, le torse maintenant... Je suis en train de devenir père... Le bassin, les jambes... Je suis papa ! Cet enfant vient de me faire père. Une larme sur ma joue. Une deuxième. Un torrent de larmes, et de *je t'aime* échangés avec Alice, ma femme, dont je me dis qu'elle n'est désormais plus tout à fait mienne puisqu'elle appartient aussi à mon fils. Je subodore même qu'elle sera surtout à lui pendant quelque temps. Je la partagerai de bon cœur.

« Dieu ?
– Oui ?
– C'est un garçon !
– Félicitations, vraiment. Il aura une belle vie.
– Parce que tu le sais déjà ?
– Oui.
– Alors je suis encore plus heureux. Il s'appelle Léo. C'est Alice qui a choisi le prénom.

– Je suis heureux, moi aussi. Profondément. Va, retourne auprès d'eux, on se voit la semaine prochaine. »

C'est devenu une habitude. On se voit tous les mardis soir vers onze heures. Ça s'est installé naturellement, sans qu'on le décrète vraiment, c'était pratique au boulot, une heure creuse. Bien sûr, ç'aurait pu être à n'importe quel moment puisque le temps ne s'écoule pas quand je le rejoins, mais là j'étais tranquille pour réfléchir aux questions que j'allais pouvoir lui poser et, une fois revenu, j'avais quelques instants de calme pour me remettre de nos conversations, y repenser. Quand j'ai arrêté le sex-shop, on a continué le même rituel. Avec le temps, j'ai de moins en moins de questions métaphysiques à lui poser, mais ça ne change rien, on parle toujours autant, de sujets graves mais aussi de tout et de rien, de ma journée, de mes soucis.

Plus qu'un ami, il est devenu comme mon père. C'est René qui jouait un peu ce rôle jusque-là, mais depuis le soir du mariage, je ne l'ai plus revu, deux ans déjà… J'ai eu beau l'appeler plusieurs fois, il n'a jamais voulu me reparler. Je n'ai pas compris sa réaction, et je me suis senti abandonné, une fois de plus. Alors je me suis encore un peu plus raccroché à Dieu. Aujourd'hui, je n'ai que lui, mon Léo et Alice. Ceux que j'aime profondément. Mon père, mon fils et mon brillant esprit. Brillant c'est peu dire, ma femme est d'une intelligence renversante, elle réussit tout ce qu'elle entreprend, elle a une culture assez impressionnante, surtout comparée à la mienne, et son cabinet marche du tonnerre. Elle gagne vraiment bien sa vie, largement assez pour nous trois, et je pourrais sans doute ne pas travailler, pourtant je tiens à garder mon indépendance, mon statut de mec en quelque sorte. C'est très primaire comme réaction, mais j'assume. Il faut dire aussi que je n'ai pas eu de mal à trouver mon nouveau boulot puisque je l'ai décroché grâce à Dieu. Après le sex-shop, j'ai pris deux mois de repos, mais assez vite, j'ai eu envie de reprendre une activité. Je lui ai alors demandé ce qu'il en pensait :

« À mon avis, tu devrais complètement changer de branche.

– Je veux bien, mais j'ai eu beau chercher ces derniers temps, ça n'a rien donné…

– C'est parce que tu te sous-estimes ! Tu as des capacités que tu es loin de soupçonner, sois plus ambitieux…

– Ambitieux comment ? Tu as une idée ?

– Oui, j'ai trouvé le job parfait pour toi.

– Sérieux ? C'est quoi ?

– Concepteur dans une agence de communication.

– Waouh, ça en jette ! Mais, je ne vois pas du tout en quoi ça peut consister…

– C'est un boulot de créatif, un peu comme dans la publicité.

– Mais j'ai pas fait d'études…

– Pas besoin de diplôme pour créer.

– Oui, mais il y a un jargon dans ces milieux-là, tu sais, comme on voit dans les films !

– Je te l'apprendrai en un rien de temps.

– Et mon curriculum, tu l'as vu ?

– Tu feras comme tout le monde, tu mentiras sur ton passé.

– Et même si je décroche un entretien, qu'est-ce que je vais leur dire ?

– Tout ce que le patron veut entendre.

– Quoi ?

– Je te ferai retenir par cœur tout ce qu'il veut entendre. Mot pour mot.

– Attends, c'est trop facile ! C'est même injuste pour les autres !

– Personne ne sera gravement lésé, fais-moi confiance. En plus, c'est à deux pas de chez toi, juste à côté ! Alors ?

– Ma foi, on peut toujours essayer…

– Parfait. Mettons-nous au boulot, tu as beaucoup de choses à apprendre ! »

Le jour de l'entretien d'embauche, le patron faisait une drôle de tête à mesure que je parlais. Il opinait constamment du chef en me regardant droit dans les yeux, sourcils écarquillés, l'air approbateur. Ensuite, quand je lui ai dit que j'étais féru de dames japonaises, jeu dont j'ignorais pourtant l'existence quelques jours plus tôt, ses yeux ont roulé comme des billes, j'ai cru qu'il allait m'embrasser. À la fin, quand il m'a lancé : « Vous avez tout compris à notre métier. Bienvenue chez nous ! » j'ai eu un peu honte. Mais bon, c'est vrai que je l'adore, ce job. Je suis en contact avec des tas de gens, j'imagine, je valorise, je convaincs. Au début, quand je ne comprenais pas bien la question qu'on me posait, j'appelais tout de suite Dieu dans ma tête et hop, je savais. Maintenant, je n'ai plus besoin de lui, je suis comme un poisson dans l'eau. J'ai même l'impression de devenir plus intelligent, avec le temps.

C'est fou comme tout a changé en quelques années. Qui aurait cru à l'époque que le petit vendeur célibataire du sex-shop irait travailler en portant les dernières fringues à la mode, et qu'il rentrerait le soir retrouver sa superbe femme dans leur grand appartement ? Et aujourd'hui, comble du bonheur, me voici dans cette clinique, à tenir ce petit homme entre mes bras et à être ébahi par le simple spectacle de son endormissement baveux au creux de mes bras. Je regarde Alice et, comme lui, elle s'est endormie, d'ailleurs elle bave elle aussi, un petit filet coule de la commissure de ses lèvres jusque sur la commande d'appel d'urgence des infirmières. Cette bave-là m'attendrit moins que celle de mon fils, c'est certain, mais elle ne me dégoûte pas non plus. Rien ne m'a jamais dégoûté chez Alice. La mère de mon fils.

Incroyable ce qu'il faut s'équiper pour s'occuper d'un bébé ! L'appartement est un véritable chantier, ils arrivent dans quelques minutes, je m'étais promis de tout mettre en ordre avant que le taxi ne les dépose mais je n'y arriverai pas. Tant pis. En plus, j'ai perdu un temps fou à écrire et à suspendre cette banderole « Bienvenue chez toi Léo ». À bien y réfléchir, c'est vraiment débile : il ne sait même pas lire, forcément, c'est un nouveau-né… Le bonheur me rend con mais, après tout, je sais qu'Alice va aimer et c'est l'essentiel.

En effet, quand ils entrent, elle adore la banderole, je suis content, elle me dit qu'elle m'aime, je suis très content. Léo par contre n'a pas vraiment réagi. Je débarrasse Alice de son sac de vêtements et des échantillons de couches et autres produits pour bébé qu'on nous a offerts à la clinique, je ne savais pas qu'on avait des cadeaux en bonus du bébé, une nouveauté de plus. Elle s'assoit ou plutôt s'affale dans le canapé, et allonge Léo sur elle, qui s'est déjà rendormi. C'est fou, ça dort tout le temps un bébé.

« Qu'est-ce qu'on fait maintenant ?

– Comment ça qu'est-ce qu'on fait ? Ben je sais pas moi, on s'en occupe et voilà. C'est toi la mère, tu dois avoir ton fameux instinct, non ? Ton superpouvoir que les hommes n'ont pas, à ce qu'on dit !

– Non, mais je veux dire qu'est-ce qu'on va faire dans les jours, les mois, les années qui viennent ?

– A priori lui donner à manger et le faire dormir, ensuite lui apprendre à marcher et à parler, et pour finir le regarder grandir et essayer de le rendre heureux.

– Oui mais nous ? Notre couple ?

– Je suppose qu'on est devenus un couple à trois. Et je te rappelle que c'est aussi mon premier, donc je n'en sais pas plus que toi.

– Et si tu me quittes ?

– C'est nouveau, ça ! Mais tu es toute chamboulée c'est normal. Un ami m'a dit il n'y a pas si longtemps, en citant je ne sais plus qui, qu'avoir un enfant, c'était déplacer le centre du monde de soi vers quelqu'un d'autre. Alors voilà, on déplace le centre du monde de nous vers lui et on verra bien.

– J'espère qu'il sera heureux avec nous…

– Bien sûr.

– Ne dis pas ça, tu ne peux pas en être certain.

– Pourtant je le sais, tu n'as aucun souci à te faire. Tu me connais, je me trompe rarement…

– Mais là, ce n'est pas pareil, je te parle de l'avenir. Notre vie est géniale, je t'aime comme une folle, mais Léo va tout changer, et puis il fera ses propres expériences, il peut tomber gravement malade, être enlevé par un satyre, avoir un accident, des tragédies arrivent tous les jours, il n'y a qu'à lire les journaux ou regarder la télé… Ce sont des faits, tu ne peux pas les nier.

– Je ne nie rien, je te dis juste que ces choses-là ne vont pas nous arriver.

– Tu es toujours là pour calmer mes angoisses, mais le pire c'est que je te crois ! Tu te rends compte de la responsabilité qui t'incombe ?

– Oui et je suis là aussi pour ça. Parce que je sais, et quand je dis que je sais, ce n'est pas un espoir fou, ni un vœu, c'est un fait. Je sais qu'il ne nous arrivera rien.

– Je t'aime tellement…

– Je t'aime aussi. Nous allons être très heureux et avoir une belle vie tous les trois. Il n'y a pas à en douter. »

Le temps a beau passer, Alice est toujours aussi angoissée au sujet de notre futur, celui de Léo surtout, assaillie par des pensées d'une noirceur qui m'étonne chaque fois. Mille fois, elle me pose la question, mille fois je lui réponds de ne pas avoir peur, que je n'espère pas seulement, mais que je sais. Mille fois je la rassure, je lui prouve mon amour, mille fois je lis dans ses yeux l'impérieuse envie de me croire, et mille fois, j'y décèle l'instant d'après cette terrible impression. L'incertitude, la peur. Comble du bizarre pour la psy qu'elle est, elle m'a toujours considéré comme la personne la plus équilibrée qu'elle connaisse, beaucoup plus qu'elle. J'ai du mal à y croire.

« Je t'assure, et je ne dis pas cela parce que je passe une partie de mon temps en thérapie avec des gens qui ne sont pas équilibrés. Tu es toujours d'humeur égale, les tracas glissent sur toi et ne t'affectent pas outre mesure, je ne te vois jamais stressé ou anxieux, et j'ai l'impression que tu es toujours heureux, non ?

– C'est vrai pour ces dernières années, avec toi. Avant, je ne sais pas. En tout cas, je n'ai jamais été vraiment malheureux, je crois. Mais toi aussi, tu es heureuse ?

– Oui je suis heureuse, grâce à toi, mais j'ai peur.

– Peur de quoi ?

– Je ne peux pas dire, c'est difficile à comprendre pour toi, mais tu sais, la plupart des gens angoissent au sujet de tout, de l'avenir, de ce qu'on ne peut pas prévoir…

– Il n'y a rien à prévoir, regarde, nous deux, on ne prévoit rien, on est bien et c'est tout !

– Mais pour moi, ce n'est pas si simple. J'envisage toujours le pire, malgré moi je t'assure. Surtout le soir, au moment de m'endormir. C'est pour ça que je prends des somnifères.

– Ah bon ? Je croyais que c'était seulement pour t'endormir plus vite…

– Non, c'est pour faire taire mes pensées. C'est assez agréable quand un somnifère commence à agir. On perd un peu le contrôle, on se laisse aller. En même temps, c'est un sacré vice. Pire que la cigarette. J'en prends depuis si longtemps que je ne sais plus quand j'ai commencé. En revanche, je me rappelle très bien la dernière nuit où je n'en ai pas pris. Un calvaire, trop d'idées qui se bousculent, trop d'images, trop d'imaginaire. La principale qualité d'un somnifère, c'est de vous tomber dessus pour vous empêcher de commencer à réfléchir. S'il n'est pas assez fort, le remue-méninge prend le dessus et là, on est entraîné dans un tourbillon insupportable, celui du soi profond, ces facettes de nous qu'on préférerait ne pas connaître. Il n'y a vraiment qu'au coucher qu'on y voit clair, c'est le pire de tous les moments, le plus dangereux. Décider sciemment de ne plus livrer bataille contre le moi du soir a été une terrible défaite. Mais quand on n'a pas les armes pour lutter, il n'y a pas d'autre solution. Je crois que tous les somnifères que l'on avale lorsqu'on est adulte, ce sont toutes les berceuses que l'on ne nous a pas chantées quand on était enfant. »

Ce jour-là, j'ai compris pourquoi Alice chantait toujours une petite chanson à notre fils au moment du coucher. Ce n'est pas uniquement pour qu'il s'endorme, c'est aussi pour le protéger. Une berceuse pour le protéger d'un futur où il devrait abandonner la lutte contre ses pensées. Une berceuse pour qu'il ait le courage de lutter contre lui-même. Une berceuse pour qu'il devienne un homme.

An six

Depuis quelque temps, Dieu a trouvé un nouveau truc qui me fait mourir de rire à tous les coups : il transforme un peu la tête de Léo quand je vais le chercher dans son berceau. La première fois, j'ai enlevé le drap qui couvrait son visage et j'ai découvert mon fils avec un groin de cochon à la place du nez. Ma stupeur passée, j'ai vraiment rigolé, et depuis, il me fait des variantes, régulièrement. La dernière fois, j'ai eu la surprise de voir mon fils avec une petite barbe, exactement comme la mienne. Il était trop marrant et mignon en plus. On aurait dit moi, mais en joli.

Si Léo est mon plus grand bonheur, il est aussi le plus grand tourment d'Alice. Parce qu'elle l'aime trop, je crois. Loin de se calmer, ses angoisses deviennent tellement profondes qu'elle en arrive à ne plus vivre lorsqu'elle est en sa présence, à le pouponner, à le materner, à le protéger si fort que c'en est presque inquiétant. Ses parents la trouvent un peu mère poule c'est vrai, mais ils ne disent rien de plus. Ils ont l'air de comprendre. Moi, ça me fait flipper mais la situation est parfois si excessive qu'elle en devient risible. Chaque fois qu'elle sort avec lui, ne serait-ce que quelques minutes, le rituel est le même : elle l'habille trop chaudement, « j'ai peur qu'il attrape froid. Un bébé c'est fragile, tu ne te rends pas compte », ce dont je me rends surtout compte moi, c'est qu'en dessous de quinze degrés, mon fils est illico transformé en bébé esquimau, tellement couvert qu'il n'arrive presque plus à bouger. À ce moment-là, je demande à Alice si elle va faire un tour avec le fils de la momie et elle me répond en général que je ne suis pas drôle. Ensuite elle emporte avec elle un sac énorme rempli de vivres et de médicaments, « on ne sait jamais, au moins je peux parer à toute éventualité ». Je lui confirme qu'effectivement, avec un tel équipement, ils sont armés pour survivre une bonne dizaine de jours en milieu hostile, genre jungle birmane. Elle lève alors les yeux au ciel, avec sa moue qui me fait craquer. La dernière étape se déroulant dans la voiture, où elle passe de longues minutes à vérifier encore et encore que la ceinture ne présente aucun défaut qui aurait échappé à sa vigilance la veille et que le siège pour bébé est assez solidement harnaché. Pour ce faire, elle tire dessus si fort que je suis certain qu'un jour c'est elle qui va le casser, et là, je m'entendrai dire : « Ah ! tu vois que ce n'était pas solide ! » Évidemment.

Alors j'ai eu une idée : demander à Dieu de faire quelque chose pour elle. Si je n'arrive pas à la raisonner, il doit bien en être capable, lui.

« Dis-moi, je voulais savoir, tu pourrais parler à Alice s'il te plaît ? Je crois qu'elle serait soulagée de savoir pour Léo...
— Non. Il n'en est pas question.
— Mais tu peux bien faire un effort, non ? Elle est très intelligente, tu le sais, elle est capable de te rencontrer elle aussi.

– Non, pas du tout. Elle n'est pas prête à me rencontrer. La fameuse raison dont je t'ai parlé, celle que tu sauras plus tard, elle ne l'a pas. Donc c'est non, pas la peine d'insister.

– Très bien. En revanche, tu pourrais faire quelque chose sans qu'elle le sache, changer son comportement par exemple. Tu as le pouvoir de le faire, non, la rendre moins inquiète ?

– Bien sûr. Mais je ne le ferai pas.

– Pourquoi ?

– Parce que vous avez votre libre arbitre. Je ne vous influencerai jamais, vous n'êtes pas mes jouets.

– Mais moi, tu m'as influencé !

– Pas exactement. Cela dit, ce n'est pas le sujet pour l'instant.

– D'accord, mais quand tu me dis que Léo ira bien, ça veut dire que tu sais ce qu'on va faire à l'avance, donc on n'en a pas, de ton libre arbitre !

– Ça n'a rien à voir, c'est ma maîtrise de l'espace et du temps qui fait que je connais votre futur. Le temps qui passe n'existe pas pour moi, ni pour toi quand nous sommes ensemble, tu l'as bien remarqué ? À moins évidemment que je ne le veuille, à ce moment-là je passe en "mode humain" en quelque sorte, cela m'est nécessaire pour parvenir à vous comprendre. Mais je le fais rarement, tu imagines si je ressentais comme toi le temps qui passe ? Je deviendrais fou, puisque je suis potentiellement éternel.

– Comment ça "potentiellement" ? Tu ne connais pas vraiment le futur ? Tu me mens, là !

– Je n'ai jamais dit que je connaissais le futur de façon absolue, j'ai dit que je connaissais toute votre vie dès que vous naissez, puisque je vais d'un point à l'autre du temps des Hommes. Ma connaissance du futur est donc, en temps humain et à la seconde où je te parle, de cent trente-quatre ans, c'est-à-dire au jour de la mort de l'Homme qui est déjà né et qui vivra le plus vieux. Prends ton temps, tu vas comprendre. Donc je sais ce qui va se passer d'ici cent trente-quatre ans, mais pas après, jusqu'à ce qu'un autre enfant naisse qui vivra plus vieux que le précédent. Tiens, il vient de naître, il s'appelle Shigeru. C'est un Japonais, sa vie va durer cent trente-six ans, je connais donc les cent trente-six années à venir, point. Et cela peut évoluer à chaque naissance.

– D'accord, le libre arbitre c'est le fait que tu ne décides pas à notre place, mais sinon, pour nos vies, tu sais déjà tout.

– Absolument. Tout sauf votre réponse à la Question, qui est la seule chose que j'ignore et ne puisse deviner à votre sujet. C'est votre liberté. Votre pouvoir. »

C'est bien gentil qu'il m'apprenne des choses, l'espace-temps, la Question et compagnie, mais concrètement, ça m'apporte quoi ? Mon problème avec Alice en est toujours au même point. Son comportement n'est pas normal, mais quand je le lui dis, elle me répond que la normalité n'existe pas et qu'elle est bien placée pour en parler, elle qui entre chaque jour dans la tête de gens soi-disant normaux, si je savais ce qu'il y a dedans je serais effrayé. Bon. Alors je lui dis que tout cela n'est pas sain, et comme elle ne veut pas l'entendre, elle change de sujet. C'est sa façon de faire, nous n'entrons jamais en conflit elle et moi, elle passe à autre chose sitôt que le terrain devient glissant. Si elle est bénéfique à notre vie de couple, cette attitude ne résout pas son problème, malheureusement.

J'ai donc mûrement réfléchi et ma décision est prise : je vais lui parler de Dieu, puisqu'il ne veut pas le faire, lui. Elle doit savoir la vérité sur l'avenir de notre enfant, cela me paraît être la seule solution pour qu'elle arrête de s'inquiéter autant, vu que depuis des mois, j'ai épuisé mon stock d'arguments rationnels. Je me lance :

« Chérie, il faut que je te parle.

– Oh, tu m'as l'air bien sérieux. Me parler de quoi ?

– Euh, de quelque chose d'important. De très important. Tu crois en Dieu ?

– Pourquoi tu me demandes ça ? C'est bien la première fois…

– Je sais, mais je dois savoir.

– Eh bien écoute, tout dépend, l'opinion de Marx par exemple était que…

– Attends je t'arrête, je ne veux pas entendre un cours ni des citations, je veux savoir ce que tu en penses toi. Réponds-moi simplement : crois-tu en Dieu ?

– Non.

– Non ?

– Non.

– Mais quand tu dis "non", ça veut dire que scientifiquement tu as des doutes sur la possibilité qu'une forme de pensée supérieure à toutes les autres puisse en quelque sorte régir le monde ou du moins l'observer de façon…

– Non, je veux juste dire que Dieu n'existe pas. C'est un fantasme, une allégorie. Rien de sérieux en somme.

– Eh bien voilà, ma chérie c'est formidable, Dieu existe.

– Pardon ?

– Tu as bien entendu, Dieu existe. On est pour ainsi dire copains. Tu n'as plus de souci à te faire.

– Tu ne me l'avais jamais faite celle-là !

– J'ai l'impression que tu ne jauges pas bien la portée de ce que je suis en train de te révéler : je connais Dieu.

– Attends, sois gentil, je me coltine des discours hallucinants toute la journée, alors si ça doit continuer le soir à la maison, je risque de n'apprécier que moyennement.

– Tu veux bien laisser un peu de côté ta science, tes études et tout le reste ? Dieu existe, mon cœur, et il m'a dit que tout irait bien pour Léo, que nous aurions une belle vie, pas de soucis, pas de drames, tu te rends compte ? Il n'arrivera rien à notre fils.

– Ah ! C'est donc là que tu voulais en venir ? Tu me sors cette histoire de Dieu pour que j'arrête de m'inquiéter pour Léo ? Parce qu'il paraît que j'en fais trop, c'est ça ?

– Oui tu en fais trop, tu en fais beaucoup trop. Écoute, si tu prends un peu de recul sur ton attitude, tu vois bien que quelque chose ne va pas…

– Si, ça va, moi je suis une mère qui se soucie du bien-être de son fils, par contre mon mari prétend bien connaître Dieu et là je m'inquiète vraiment. Je crois que c'est toi qui as un problème.

– Je te le répète : j'ai appris de la bouche de Dieu que notre vie serait belle et que…

– Écoute-moi bien : que tu me trouves excessive passe encore, mais que tu me croies assez débile pour me sortir un truc pareil… tu me déçois. Non pire, tu me fais mal. C'est tout ce que je suis pour toi ? Une folle ? Une folle à qui l'on dit que l'on connaît personnellement Dieu pour tenter de la calmer, pour lui faire entendre raison ? C'est tout ce que je suis devenue pour toi ? Alors tu devrais peut-être me quitter tu sais…

– Mais enfin Alice…

– Quitte-moi !
– Alice ! »

Elle s'est mise à pleurer, et elle est partie s'enfermer dans la chambre de Léo. C'est la première fois que je la vois pleurer, c'est aussi la première fois qu'on se dispute. Dieu m'avait prévenu pourtant, il avait raison. J'ai été stupide, personne ne peut croire une chose pareille, même pas elle, malgré tout son amour, personne. Je l'entends sangloter nerveusement derrière la porte, je ne l'ai jamais vue dans un état pareil. Je lui demande de m'ouvrir mais elle refuse, alors je n'insiste pas. Après quelques minutes d'un silence trop lourd, elle me crie de m'en aller. Alors je pars.

J'ai marché quelques heures et, quand je suis revenu, l'appartement était vide, silencieux. Sur la table basse, un mot :

« Finalement, c'est moi qui suis partie. Ta folle de femme te laisse seul. Tu pourras reprendre une vie "normale" sans moi.

PS : Léo est chez ma mère. Elle est saine d'esprit, elle, ça devrait te rassurer. »

Je ne comprends pas ce qui m'arrive. Comment peut-elle avoir une réaction si excessive ? Ce n'était qu'une dispute, la première d'accord, mais quand même… J'appelle sa mère qui me dit que Léo va bien, mais qu'elle s'inquiète pour sa fille qu'elle n'a jamais vue comme ça. Je lui raconte en détail ce qui s'est passé et, après un long silence, elle me parle. « Il faut que tu saches, maintenant. » Alors elle me raconte. Elle me dit d'abord qu'elle m'a menti, ce n'est pas la première fois qu'elle voit sa fille dans cet état. C'était il y a longtemps. Alice avait douze ans. J'apprends qu'elle avait un frère, Théo, il avait quatre ans à cette époque. Alice était une petite fille très responsable, très mûre pour son âge, et elle adorait son petit frère. Alors, de temps en temps, quand ses parents partaient faire des courses, ils laissaient Alice à la maison s'occuper de Théo, elle aimait être une petite maman pour son frère, elle se sentait fière, grande, et tout se passait toujours bien. Parfois même, Théo boudait quand il trouvait que ses parents n'étaient pas sortis assez longtemps, et il leur demandait quand ils partiraient de nouveau pour rester avec Lilice. Et puis un jour, Théo n'a pas voulu que sa sœur lui prépare un croque-monsieur comme c'était devenu leur habitude. Il a insisté, insisté, alors bien sûr Alice a cédé. Elle lui a préparé des frites. Ça avait l'air simple, et Théo semblait si content, il adorait tremper ses frites dans le ketchup. Pendant la cuisson, elle a reçu un coup de téléphone de son petit amoureux de l'époque, elle est allée dans sa chambre pour ne pas que son frère l'embête. Et puis elle a entendu ce cri. Ce cri qui la réveille encore la nuit. Elle est descendue aussi vite que possible, et là, elle a vu. La friteuse au sol. Et le corps de son frère, étendu à côté, méconnaissable. Elle s'est évanouie et ce sont les voisins qui ont prévenu les secours. Mais les brûlures étaient trop graves et il est mort à l'hôpital, quelques jours plus tard. Alice est restée mutique pendant plus de six mois. A passé près de trois ans en centre spécialisé. Et puis elle a remonté la pente. Petit à petit, grâce aux médecins qui s'occupaient d'elle jour après jour, elle est revenue à la vie. Elle n'a plus jamais été la même, mais elle savait dorénavant ce qu'elle voulait faire, elle avait trouvé sa voie. De la même façon que le petit garçon arraché aux flammes veut devenir pompier, elle a voulu devenir psy pour aider les autres comme on l'a aidée. Comme on l'a sauvée.

Je n'ai pas essayé de la joindre ni de savoir où elle était. J'ai compris qu'elle réagisse de cette manière, qu'elle ait eu si peur de croire que je la traitais comme une folle, comme on l'a peut-être traitée à cette époque. Et sa peur pour Léo, maintenant tout me paraissait logique. Alors j'ai décidé de ne rien faire. Juste d'attendre.

C'est terrible d'attendre, il n'y a rien de pire. Assis sur mon canapé, je tourne en rond. Mes pensées font le tour de ma tête, de plus en plus noires, de plus en plus vite. Où est-elle allée ? Je n'ai pas envie d'appeler Dieu, je ne veux pas qu'il m'aide ou qu'il me réconforte. Je veux assumer mes erreurs et en payer le prix, seul.

Je me sers un verre de gin, l'alcool m'aidera peut-être à me calmer. Va-t-elle faire une bêtise ? Un autre verre. Quand reviendra-t-elle ? Et de trois. Va-t-elle revenir ? Déjà quatre, ou cinq peut-être. Ne pas savoir, juste imaginer, le pire forcément. Va-t-elle m'aimer encore ? Je ne les compte plus.

Deux jours d'alcool déjà. Deux jours de désespoir, sans rien ni personne, mis à part quelques coups de fil à la mère d'Alice pour m'assurer que mon Léo va bien. Je pensais qu'elle reviendrait plus vite, une nuit je trouvais ça suffisant. Elle a plus de rancune que je ne le croyais. Mais de la rancune pour combien de temps ? C'est ma faute après tout, je suis trop con, j'aurais dû me douter qu'il y avait quelque chose. Quelque chose de lourd. Je ne peux pas lui en vouloir de l'avoir gardé pour elle, moi je ne lui parle jamais de mes parents. Tant pis pour moi. Je n'ai qu'à boire encore.

« Mais enfin, que fais-tu ?

– Tu vois bien, je bois.

– Mais quel est l'intérêt ?

– L'alcool m'apaise. Tu devrais essayer, tu sais. Te construire ta petite distillerie perso dans les nuages, ça te ferait du bien de temps en temps…

– Tu trouves que ça te fait du bien ?

– J'en sais rien. Dis, tu vas pas me faire la morale, non ? T'es devenu curé ou quoi ?

– Eh bien, monsieur est agréable quand il a bu ! Et sinon, tu comptes ne rien faire ?

– Ben si, tu vois bien, j'attends qu'elle revienne.

– D'accord. Juste comme ça, il n'y aurait pas une autre option par hasard ?

– Quoi, qu'est-ce que tu veux que je fasse ?

– Mais va la chercher, voyons ! Rassure-la, montre-lui que tu n'avais pas compris parce que tu ne pouvais pas comprendre, mais que maintenant que tu sais, tu acceptes, et tu vas l'aider.

– Je veux bien, moi, mais est-ce qu'elle va accepter de revenir ?

– Mais oui, enfin. Par contre, si tu n'y vas pas, ça peut durer très longtemps cette histoire !

– Je ne sais même pas où elle est !

– Quel manque de psychologie… Vous les hommes, et là je parle des mecs, on croirait parfois que vous êtes handicapés des sentiments. Les femmes le disent toujours, mais ce n'est pas un cliché ! L'empathie, tu connais ? C'est se mettre à la place de l'autre. Alors dis-moi, penses-tu que ta femme qui s'inquiète tant pour son enfant le laisserait seul, ne serait-ce qu'une nuit ?

– Non, elle resterait avec lui, pour s'assurer qu'il va bien.

– Nous sommes d'accord. Et dis-moi, où est Léo en ce moment ?

– Chez sa grand-mère…

– Donc si Léo est là-bas et qu'Alice est restée avec Léo, ça veut dire qu'elle est ?… elle est ?…

– Chez sa mère. J'y vais tout de suite !

– Non, non, d'abord jette-moi ces bouteilles, et passe une bonne nuit de sommeil. Répare-toi. Tu partiras demain, elle sera toujours là-bas.

– Tu as raison, merci. Dis, pourquoi tu fais tout ça pour moi ?

– Nous sommes amis, non ? Je n'ai pas envie de vous voir perdre votre temps et tout votre amour. »

Quand j'ai sonné, sa mère m'a ouvert et s'est écartée, silencieusement. Elle a souri et m'a montré l'étage du regard. Alice était dans sa chambre, sa chambre d'avant. Je l'ai vue par l'entrebâillement de la porte, avec Léo qui dormait dans son berceau à côté d'elle. Au bout d'un moment je suis entré, elle m'a regardé et avant qu'elle ne me parle, je lui ai dit que je regrettais, que cette histoire de Dieu était une bêtise bien sûr, une maladresse de ma part rien d'autre, que je savais pour son frère, et qu'elle pouvait dorénavant protéger notre fils autant qu'elle le voudrait, que j'avais compris que c'était par amour, que c'était pour son bien. J'ai promis de ne jamais plus me moquer d'elle, de ses manies, et j'ai promis de l'aimer encore plus, de les aimer encore plus fort tous les deux, de les aimer toujours. Elle a pleuré dans mes bras, et m'a dit qu'elle ne me laisserait plus. Plus jamais.

An sept

Étonnamment, depuis que j'ai accepté ses travers Alice s'est montrée de moins en moins excessive avec notre fils. Ça ne s'est pas fait du jour au lendemain, mais depuis quelques mois, elle est devenue tout à fait raisonnable. Comme une mère normale, même si elle n'aimerait pas me l'entendre dire. Et toujours une femme merveilleuse.

Je suis chaque jour plus surpris que ce que l'on a coutume de nommer la *routine* soit quelque chose de si plaisant. Rentrer du travail et trouver ma petite famille à la maison m'emplit immanquablement de joie. Ou plutôt, de sérénité, une quiétude dont je me sens constamment habité.

« Dis-moi, Dieu, quand j'imaginais ma vie idéale avant d'être avec Alice, je me disais que je voudrais être un artiste, tu sais, le genre rock star qui vit à cent à l'heure en faisant le tour du monde, ou bien un homme de pouvoir et d'argent, que mon nom et mon influence rayonnent un peu partout, tu comprends ce que je veux dire ?

– Oui, d'autant que c'est le rêve d'une grande partie d'entre vous. Et donc ?

– Et donc je trouve étrange de me satisfaire amplement de ce que j'ai aujourd'hui. Tu crois que c'est normal ?

– Si c'est normal ?

– Ben oui, si c'est pas bizarre de ne plus rêver de cette sorte d'absolu…

– Écoute, je n'ai pas envie d'y passer une heure, donc réponds juste à cette question : deux enfants vont mourir, l'un est blond et l'autre roux, et tu as le pouvoir de sauver un seul de ces enfants. Lequel choisis-tu : le blond ou le roux ?

– Quoi ?

– Lequel tu sauves ?

– Mais c'est débile comme question !

– Je te le confirme. Et pourquoi c'est débile ?

– Parce qu'on peut pas y répondre !

– Eh bien voilà, je viens de te faire une démonstration par l'absurde. Tout simplement parce qu'il y a des questions auxquelles on ne peut pas répondre. Et tu sais pourquoi ? Parce qu'il ne faut tout simplement pas se les poser, dans la mesure où elles n'ont aucun sens. C'est la même chose pour toi, tu trouves étrange d'être heureux de ce que tu as, de ne pas vouloir plus, et tu te demandes si c'est normal. Tu te rends compte du saugrenu de ta réflexion ? Ce que je veux te faire comprendre, c'est qu'il faut juste vivre, prendre les choses comme elles viennent. Le bonheur n'est pas un projet. Sois-en bien conscient. Vis, et ne t'encombre pas l'esprit de questions inutiles. »

Il a raison. Ces questionnements sont idiots. Le problème n'est pas de savoir comment on s'imagine un bonheur autre, mais de savoir si l'on est heureux aujourd'hui. Et je le suis, vraiment. Pour preuve, je lui ai dit il n'y a pas si longtemps une phrase d'une incroyable niaiserie mais dont je pensais chaque mot intensément : je suis le plus heureux des hommes. Il a eu l'air ému, je l'ai vu dans ses yeux. D'ailleurs, il ne m'a rien répondu. Il devait savoir que c'était vrai.

An neuf

Mon cœur se déchire, mes mains tremblent et mes jambes ne me tiennent plus debout, je m'assois pour ne pas tomber sous le poids de mon cœur que je sens enfler à mesure qu'il bat de plus en plus fort. Mes yeux me brûlent, mon ventre me brûle, ma tête me brûle. Ce doit être une erreur. Un sosie. Ce n'est pas son corps qui est là, ce n'est pas elle, c'est impossible. Pas Alice. L'infirmière me regarde avec une compassion professionnelle.

« C'est bien votre femme, monsieur ?

– Non je suis désolé. Ma femme n'a jamais eu de tuyaux plantés dans ses bras, ni de trou mal recousu dans sa trachée, et ma femme ne s'est jamais endormie dans des draps ensanglantés. Et puis, les lèvres de ma femme sont chaudes quand je les embrasse, cette femme-là a les lèvres tièdes, presque froides. Elle n'est pas ma femme.

– Monsieur…

– Ce n'est pas ma femme !

– Je vous laisse un moment avec elle, je reviendrai vous voir plus tard. Mais dites-lui au revoir. »

Au revoir ? Mais au revoir à qui ? À quoi ? C'est des conneries ces histoires, puisqu'elle n'est plus là, il n'y a pas de paradis il n'y a rien, un putain de trou noir, voilà à qui je vais dire au revoir, à rien, elle ne m'entend pas de là-haut puisqu'il n'y a pas de là-haut, je ne peux plus faire ça puisque son esprit s'est éteint, je n'ai même plus cet espoir à cause de Dieu qui m'a tout dit, et d'ailleurs qu'est-ce qu'il foutait pendant que cet enculé a renversé ma femme, que la tôle de sa voiture lui broyait les os, où était-il, il a bien pris son pied à regarder ?

« Dieu ? Dieu ! Réponds-moi !
– Monsieur, ne criez pas s'il vous plaît…
– Dieu ! Qu'est-ce que tu m'as fait ?
– Monsieur, s'il vous plaît, il y a des gens malades ici, calmez-vous…
– Tais-toi, c'est pas à toi que je parle ! Dieu ! Viens là ! Tu me l'avais dit, tu m'avais promis ! On devait avoir une belle vie ! Viens, salaud, traître, viens me voir ! Tu l'as laissée crever, tu m'as laissé seul, viens me voir tout de suite ! »

Il n'est pas venu, il ne m'a pas emmené. Deux hommes sont arrivés pour essayer de me calmer, je continuais à hurler, alors ils ont voulu me maîtriser mais j'en ai frappé un, d'autres sont arrivés que j'ai frappés aussi, je revois ces regards éberlués autour de moi, mais je n'entends que mes hurlements et mes insultes envers celui qui était mon meilleur ami. Ensuite, j'ai senti une piqûre et, très vite, je n'ai plus rien senti. Je me suis réveillé dans une chambre à l'odeur d'éther, seul, calme aussi, l'espace d'un instant je n'ai plus su si Alice était vraiment morte, mais très vite, j'ai su et très vite, j'ai eu mal. Trop. Mal à en mourir. Puis la mère d'Alice est entrée dans la chambre, elle tenait Léo dans ses bras. Mon bonhomme a quatre ans et il n'a plus de maman, il n'a que moi, mais moi, je n'ai plus personne, j'ai perdu la femme de ma vie et mon seul ami ne me répond plus. Personne n'est là pour m'épauler, je vais devoir m'en sortir seul et le rendre heureux, seul. Il ne pourra pas être heureux sans sa maman. Comment vais-je lui dire ?

« Léo mon amour, maman a eu un accident, elle est morte.

– Comme papi ?

– Oui, comme papi. Maman t'a expliqué que son papa est allé au ciel et qu'on ne pourrait plus le revoir, eh bien maman est allée le rejoindre. Elle ne voulait pas t'abandonner tu sais, mais elle n'a pas décidé. Alors mon Léo, on ne reverra plus jamais maman. Mais elle restera dans le ciel, et dès que tu penseras à elle, maman se penchera et, de tout là-haut, elle t'écoutera et t'enverra des baisers.

– Je veux voir maman…

– On ne la verra plus. On ne pourra plus jamais la voir… »

Je ne pensais pas qu'il serait possible d'avoir plus mal, mais le serrer dans mes bras rajoute de l'amour à ma douleur. Comme si j'embrassais mon chagrin. Je suis seul avec mon fils. Nous sommes seuls sans elle.

J'ai l'impression que c'est moi qui suis mort, que c'est à moi que l'on dit adieu. Je flotte au-dessus d'une assistance entourant un cercueil, centre de toutes les attentions, de toutes les peines. Moi je ne sais plus ce que je ressens mais je vois, d'au-dessus. Des silhouettes anonymes, des visages flous, des gens. Pourtant, l'espace d'un instant, un visage s'éclaire dans ce panorama sordide et anodin, un visage que je connais, que je reconnais. René. Il me regarde, les yeux embués, et son regard réveille en moi tous les chagrins du monde, car je revois les images du mariage, la dernière fois que nous nous sommes parlé lui et moi, son émotion en signant le registre, le temps du bonheur. Ce temps-là est fini. Plus la moindre seconde avec elle, plus rien. On a coutume de dire, pour se consoler, qu'un enterrement est un dernier au revoir. Il n'y a rien de plus faux. Moi je n'ai pas envie de dire au revoir à un cercueil. Même si le corps de ma femme est dedans, ce corps est vide. Ma femme n'existe plus, et je le vois bien dans les yeux de René.

Je reconnais un autre visage bien sûr, mais celui-là, je n'ose le regarder. Je n'ose pas regarder mon fils. Mon bonhomme enterre sa mère, il tient ma main mais je n'arrive pas à me pencher vers lui, de peur de craquer, d'être ramené ici, sur la terre ferme, dans une réalité que je refuse. J'ai trop peur de voir ses larmes couler, et que l'une d'entre elles ne m'entraîne dans sa chute. Emprisonné dans une larme de mon fils, je ne saurais pas atterrir. Juste me fracasser au sol, brisé.

Je réintègre mon corps sans le vouloir, ramené à la réalité par ces gens qui me touchent. Les corps passent devant moi, un à un, parfois ils m'embrassent parfois ils me serrent, ils disent « au revoir », « sois fort », « nous sommes là ». Je ne vois pourtant personne. Je regarde juste le ciel. Tiens, il fait beau.

J'aurais préféré rester là-haut, car à l'intérieur la douleur enfle à en devenir insupportable. Je ne sais même plus quoi faire de moi, ma belle-mère me propose de garder Léo quelques jours et je lui dis oui, machinalement.

J'ignore combien de temps a passé, mais je suis seul maintenant. Seul face à rien, mort dans un cimetière. Je reste là et, tout d'un coup, presque sans m'en rendre compte, je vomis. C'est comme ça que mon désespoir s'est fait connaître, en sortant de moi. À bout de forces, je suis tombé à genoux. Et puis, doucement, derrière moi des bras m'enserrent. Ces bras passent sous les miens et me relèvent. Comme un pantin, je me laisse faire. Ces bras me retournent lentement et, pendant qu'ils m'entraînent vers la sortie, je vois le visage au-dessus d'eux, pas par curiosité, non, par hasard. Mon regard a juste croisé son visage. René. Il était resté, seul. Dieu m'a laissé mais René est resté, lui. Ou plutôt, il est revenu.

Je n'aurais jamais imaginé me blottir un jour dans les bras d'un homme. Me blottir comme un enfant dans les bras de sa mère. René est là, chez moi, et il ne dit rien. J'ai du mal à m'en rendre compte, mais je crois qu'il vient tous les soirs. Il entre en silence, me cherche dans l'appartement, me relève du sol où je gis depuis le matin ou bien me sort de sous la douche que je prends, immobile, depuis des heures. Il me choisit alors quelques vêtements, m'aide à m'habiller, et m'installe sur le canapé. Il ne parle pas. Ensuite il va préparer quelque chose à manger dans la cuisine, et me rejoint. Il pose toujours l'assiette et les couverts devant moi mais ne me force jamais à manger, il ne me le demande même pas. Il se contente d'être là. Je crois qu'il attend simplement le jour où je mangerai, comme il attend le jour où je lui parlerai. D'ici là, si tant est que ce jour arrive, il se contente de m'offrir sa présence, une amitié silencieuse, comme un cadeau qu'on n'est pas obligé d'ouvrir. Quand je n'arrive plus à penser à rien, je pose ma tête sur ses genoux et je laisse le sommeil venir, enfin.

Aujourd'hui à mon réveil, il était toujours là. Il m'a préparé un petit déjeuner et s'est dirigé vers la porte.

Avant de partir, il m'a reparlé pour la première fois :
« Je ne t'en veux plus, tu sais. J'ai été égoïste, c'est toi
qui as eu raison de vouloir passer plus de temps avec
elle. Si tu m'avais écouté, j'aurais été coupable. Je
t'aurais volé trop de souvenirs. »

J'ai essayé de lui dire merci avec les yeux. Avant de
refermer la porte, il a dit : « Je reviendrai ce soir. »

Bizarrement, je l'ai attendu aujourd'hui. J'avais comme envie de le voir, je me suis douché et habillé avant qu'il arrive. Quand il est entré, je lui ai dit « salut ». Il m'a souri, un peu, et m'a demandé si j'avais faim. J'ai fait oui de la tête, et il est allé dans la cuisine.

« Ça me fait plaisir de te voir manger. Enfin, grignoter je devrais dire, mais c'est bien. Il faut que tu vives maintenant. Oh, je te dis pas de sortir faire la fête, mais juste de vivre, un peu.

– Vivre sans Alice, tu sais…

– Vivre sans sa femme, je sais pas ce que c'est, mais moi, j'ai vécu sans enfant et ça, je sais ce que c'est, je le regrette un peu plus chaque jour qui passe. Toi tu as un fils, tu as ce bonheur, crois-moi. Je te demande pas d'être heureux, je te demande de penser à ton fils. De pas te laisser mourir, de pas en faire un orphelin. Il l'est déjà à moitié, alors pense à lui.

– Je n'arrive pas à penser, René. Je n'arrive à rien. Si tu savais comme j'ai mal…

– Écoute, ta douleur c'est pas la peine de me la dire, ça fait deux semaines que je la vois. Ça fait deux semaines que je l'habille, que j'essaie de la faire manger et que j'attends qu'elle s'endorme, ta douleur. Alors maintenant, je crois que je vais commencer à lui mettre des coups de pied au cul. Et si elle est pas contente, c'est pareil.

– Mais c'est facile à dire, mets-toi à ma place…

– Non, je me mets pas à ta place. Je me mets à la place du petit ! Léo a besoin d'un père comme moi j'ai eu besoin d'un fils, alors je le sais, moi, le manque. Écoute-moi bien, maintenant : j'ai vendu le magasin, je prends ma retraite. Mardi prochain, on part en Espagne avec Josy, définitivement. On a acheté une maison là-bas, on veut prendre notre retraite, partir tranquilles sur la terre de mes parents. Je reviendrai plus, tu comprends ? Mardi ça fera vingt jours que tu es dans cet état, vingt jours que ton fils n'a plus sa mère ni son père. C'est trop pour un petit. Alors je te préviens, je vais te bouger, parce que mardi, moi je pars, et Léo il revient vivre ici. Chez lui, avec son père. »

Il ne m'a pas dit au revoir. On savait tous les deux que c'était son dernier soir ici, mais on a fait comme si de rien n'était, on a mangé, on a un peu parlé… Et puis il a regardé sa montre, il ne le faisait pas d'habitude :

« Bon, c'est l'heure, il faut que je parte. Ça va aller ?
— Je ne sais pas.
— Il arrive quand le petit ?
— Sa grand-mère le ramène demain, à midi.
— Tu vas faire un peu de ménage, non ?
— Oui.
— Alors je suis content. »

Il a ouvert la porte, m'a regardé un instant. Il a eu comme un mouvement vers moi qu'il a arrêté net, puis il a baissé les yeux pendant une seconde. Il m'a regardé de nouveau et a esquissé un sourire. Un sourire triste.

Reprendre la vie avec Léo n'a pas été facile. Je n'ai pas su quoi lui dire, je n'ai su que lui poser des questions. À l'école, ils ont été très gentils avec lui. La maîtresse lui a demandé s'il voulait parler de ce qui lui était arrivé, et il s'est levé pour expliquer à ses camarades qu'un monsieur roulait trop vite en voiture et qu'il a écrasé sa maman, il faut bien dire aux parents de ne pas rouler trop vite en voiture pour ne pas tuer de mamans, donc sa maman est morte et maintenant il ne peut plus la voir mais dans le ciel, elle le regarde. Sa maîtresse m'a conseillé de l'emmener chez un pédopsychiatre, alors il va tous les mercredis voir Elvire, je ne connaissais qu'elle dans la spécialité, et puis j'ai confiance puisque Alice l'appréciait beaucoup. Il semble s'en sortir plutôt bien pour l'instant. Pas moi. Sa grand-mère, quand elle vient prendre Léo pour le week-end, me remplit des arrêts maladie. Je n'ai plus envie d'aller travailler, je n'ai plus envie de rien. Je ne suis plus grand-chose sans elle. Notre maison n'est plus la même. Je n'ai rien enlevé pourtant, rien ajouté non plus, mais tout est pesant, son absence donne du poids aux choses, partout, constamment. Quand j'ouvre le frigo, je pense à Alice qui ouvrait le frigo, et je me rends compte que ce geste banal ne l'était pas du tout. Quand je fais à manger pour Léo, je pense à Alice qui faisait à manger pour Léo, mais à sa façon, avec ses gestes à elle, avec son sourire ou son air absent, selon les jours. Quand je ne fais rien, je pense à tous les moments où je ne faisais rien alors qu'elle était là, dans la pièce, dans la maison. Si j'avais su, je n'aurais jamais rien fait seul, je n'aurais rien fait mais avec elle, le bras autour de son cou, ou sa tête sur mon épaule. Ne rien faire ensemble, c'était tellement plus que s'activer seul. Mais René a raison, je n'ai pas le choix, je dois faire semblant pour Léo. S'il n'était pas là, j'aurais agi comme mon père, je le comprends maintenant, je sais qu'il avait raison. Sauf que lui a fait ça pour la retrouver alors qu'on ne retrouve rien, ni personne. Moi s'il n'y avait pas mon fils, ce serait juste pour tout arrêter, j'avalerais quelques médicaments et hop, on n'en parle plus, terminé de souffrir, juste revoir l'autre salaud une dernière fois pour sa question à la con, lui dire ses quatre vérités voire lui en coller une bonne, il la mérite, et après, plus rien. Là au moins c'est sûr, le néant, à moins qu'il ne m'ait menti comme pour sa promesse de belle vie. J'essaie de l'appeler chaque jour, mais il ne répond pas. Il ne répondra plus. Il doit avoir honte de ce qu'il m'a fait.

An onze

Elvire m'a dit ce soir qu'on pouvait arrêter les séances, qu'au bout de deux ans, Léo avait très bien évolué et qu'il pouvait se passer d'elle. Pour la centième fois, elle m'a demandé de venir la voir en séance. Elle s'occupe des enfants mais elle voulait faire une exception, parce qu'on se connaît. Elle est gentille de s'inquiéter pour moi, vraiment, mais pour la centième fois, je lui ai dit non.

« Tu es sûr ? Léo me raconte ce qui se passe à la maison, et tu as besoin de parler. Tu n'as pas accepté le décès d'Alice.

— Parce qu'il est inacceptable. On devait vivre une belle… enfin…

— Un décès est toujours injuste. Mais une thérapie, peut-être quelques séances simplement, t'aiderait beaucoup, tu sais. Et puis tu ne sors pas, tu ne fais rien à part ton travail depuis que tu as repris.

— Je n'ai pas envie de sortir ou de refaire ma vie, ma vie est défaite de toute façon. Et au boulot, au moins je suis obligé de penser à autre chose, j'ai des responsabilités, c'est reposant. Si ça ne tenait qu'à moi, je travaillerais seize heures par jour. Mais Léo, le pauvre…

113

– Arrête de dire "le pauvre" quand tu parles de lui, il s'en sort très bien et il n'a pas besoin que tu lui rappelles sans cesse que…

– Que sa mère est morte, je sais. Mais je ne veux pas consulter. En tout cas merci pour Léo, c'est vrai qu'il semble aller mieux.

– Pas mieux, bien. Ton fils va bien. C'est un petit garçon de six ans qui aime la vie, son chien, ses copains et son père. Il veut vivre heureux. »

C'est vrai, il va bien. Parfois je lui en veux d'être heureux, j'ai honte de moi mais c'est comme si sa mère ne lui manquait pas trop, alors qu'elle me manque tellement. Elvire m'a conseillé de lui offrir un petit chien et elle a bien fait, il s'occupe de lui sans cesse, joue avec lui, le promène et le nourrit. C'est son meilleur ami, il me l'a dit un jour. Parfois je passe devant sa chambre le soir, et je l'entends parler au chien : « Dis Cactus, tu as une maman, toi ? Moi j'en ai une, mais elle est morte. Elle m'aime beaucoup tu sais, maman veille sur moi de là-haut dans le ciel, et elle m'envoie des baisers si je suis triste. Alors si tu es triste dis-moi-le, je demanderai à maman de t'envoyer des baisers et tu verras, ça ira mieux. »

Alors je retourne dans ma chambre, sans faire de bruit, pour ne pas qu'il m'entende. Et je pleure dans mon lit, sans faire de bruit, pour ne pas qu'il m'entende.

Quand j'y pense, c'est étrange : le meilleur ami de mon fils est un chien, alors que le mien était Dieu. Le parallèle est étonnant. Pourtant je suis sûr que le chien ne laissera pas tomber Léo, jamais, il donnerait sa vie pour lui. Dieu ne m'a pas donné la sienne, il a préféré prendre celle de ma femme. Le chien donne,

Dieu prend. On devrait en faire un proverbe. On m'a dit un jour qu'« on a les amis qu'on mérite ». Tout est dit. Pourtant avant qu'il ne me la prenne, moi aussi j'aurais donné ma vie pour lui. Vraiment.

Si depuis la mort d'Alice, j'ai perdu le goût de tout, j'ai gagné celui de l'alcool, comme à l'époque où elle était partie. Je bois seulement quand Léo n'est pas à la maison, dans ces moments-là boire m'apporte le réconfort dont j'ai besoin. Je ne saurais pas vraiment l'expliquer mais j'arrive, en buvant de façon métronomique, en augmentant les doses très précisément, verre après verre, à tout oublier. Au bout de sept ou huit heures d'alcool, je suis dans un état proche de la béatitude, sentant à peine mon corps. Avec l'expérience, j'arrive à être soûl pendant deux jours d'affilée sans sombrer ni être malade, juste entouré d'ouate.

Elvire m'a appelé hier. Elle a pris des nouvelles de Léo, et m'a dit qu'elle avait eu une idée :

« Je respecte ta décision de ne pas vouloir consulter, mais j'ai pensé qu'on pourrait trouver une solution intermédiaire.

– C'est-à-dire ?

– Eh bien, on pourrait se voir de temps en temps, pour parler un peu toi et moi. Je ne serais pas Elvire la psy, mais Elvire l'amie. Qui s'y connaît un peu, en plus.

– Je crois que ça revient au même.

– Non, je ne te demanderai pas de me parler de sujets que tu ne veux pas aborder, je t'assure. Et puis, je sais que tu ne vois personne depuis plus de deux ans…

– Parce que je n'ai aucune envie de voir qui que ce soit.

– Écoute, il faut que tu fasses un pas en avant. Viens à la maison demain soir, je te préparerai des pizzas maison, Léo m'a dit que tu en raffolais. Et ça lui fera du bien de te voir faire un effort, crois-moi. »

À court d'arguments, j'ai dit oui. Pour lui. Et me voilà dans l'ascenseur, à monter vers son appartement et me demander ce que je fais là. Quand elle ouvre, elle me dit qu'elle est très contente de me voir et dépose un baiser sur ma joue.

« C'est vraiment bien que tu sois venu. Je te sers un verre ? Whisky ?
– Oui, s'il te plaît.
– Alors, qu'as-tu de beau à me raconter ? »

Elle est là, toute gaie, à me faire la conversation comme si rien n'était arrivé, comme s'il fallait nier. Ça ne me plaît pas trop, mais je comprends qu'elle joue son rôle, qu'elle essaie de me changer les idées. Alors, à défaut de parler, je m'efforce de la suivre le plus attentivement possible. Et de glisser un commentaire de temps en temps.

Sa vie doit lui paraître bien trépidante, elle n'arrête pas de m'en parler. Son boulot qui la passionne parce qu'elle adore les enfants, ses dernières aventures qui n'ont pas marché parce que les mecs sont des lâches qui ne savent pas s'engager. Je lui dis qu'il ne faut pas exagérer, tous les mecs ne sont pas comme ça, elle me répond que les hommes comme moi, on n'en trouve pas à tous les coins de rue. Je tente un trait d'humour en lui faisant remarquer que ce n'est peut-être pas au coin de la rue qu'il faut les chercher, mais ça ne la fait pas vraiment rire. C'est dommage, pour une fois que j'ai l'alcool un peu joyeux… Il faut dire qu'elle n'arrête pas de me resservir, ça aide.

Les pizzas étaient très bonnes en effet, mais après avoir attendu un temps que j'estime suffisamment long pour ne pas paraître trop impoli, je lui annonce que je vais y aller.

« Attends, tu plaisantes, tu ne vas pas conduire dans cet état ?

– J'avais déjà bu avant d'arriver, tu sais.

– Raison de plus, tu as descendu toute la bouteille de whisky ! Plus le vin, à table !

– Pas de problème je t'assure, j'ai l'habitude…

– Non, non, non, il n'est pas question que je te laisse partir. Où sont tes clés ?

– Quoi, elles sont dans la poche de ma veste, mais… arrête, qu'est-ce que tu fais ?

– Je te les prends ! Je ne veux pas être responsable d'un accident !

– Elvire, tu me fatigues…

– Oui, ça se voit, tu es fatigué. Écoute, va dormir dans ma chambre, je prends le canapé. En plus Léo est en vacances, il n'est pas chez toi, non ? Tu n'as pas de raison de refuser, c'est pour ton bien, crois-moi. Tu partiras demain et je serai soulagée.

– Je ne suis pas un gamin, Elvire.

– Je le sais bien. La chambre est par là. »

Je me sens bizarre, je n'ai pas très bien dormi. J'entends des voitures qui passent, un chien qui aboie, ce n'est pas normal comparé au silence habituel. J'ouvre les yeux, je ne reconnais rien autour de moi. Ah, oui, je suis chez Elvire. Mais pourquoi ai-je accepté de dormir ici ? Je suis contrarié, il va falloir que je passe par le salon, que je lui parle alors que je n'ai qu'une envie, rentrer chez moi. Ou bien, je me rhabille sans bruit et je pars discrètement. Oui, c'est mieux. Mais la lumière est agressive et j'ai un peu mal à la tête, je vais rester allongé un instant. Je me retourne et…

« Bordel, mais qu'est-ce que tu fous dans mon lit ?
– Dans *mon* lit. Bonjour.
– Quoi, bonjour ? Qu'est-ce que tu fais là ?
– C'est toi qui m'as demandé de venir te rejoindre pendant la nuit.
– Attends, mais tu es nue ?
– Tu me trouves belle ?
– C'est pas possible… Ne me dis pas qu'on a…
– Tu ne te souviens de rien ? En fait…
– Non, tais-toi, je ne veux pas savoir ! Où sont mes affaires ?

– Attends !

– Que j'attende quoi ?

– Tu peux rester un peu, si tu veux…

– Mais enfin Elvire, qu'est-ce que tu racontes ?

– Je voudrais que tu restes, tu ne comprends pas ? Et aussi que tu reviennes, de temps en temps. On pourrait y aller doucement, tu sais. On fera comme tu le souhaites. J'en ai vraiment envie, je ferai tout ce qu'il faut pour que tu sois heureux…

– Mais comment peux-tu me dire une chose pareille alors qu'Alice est morte ? Tu te rends compte ?

– Tu sais, je t'aimais déjà, avant. »

Je n'ai pas voulu en entendre davantage. Je me suis rhabillé en vitesse et je suis parti. Je crois qu'elle avait tout prévu. Elle savait forcément pour mon problème d'alcool, Léo ne m'a jamais vu boire mais parfois j'oublie des bouteilles vides, et il est intelligent, les enfants comprennent tellement de choses. Du coup c'était facile, j'étais ivre, fatigué, elle jouait à la fille qui s'inquiète pour moi… Je me suis fait avoir. J'ai failli trahir Alice, à cause de l'alcool. Je ne boirai plus un seul verre. C'est terminé.

Je ne peux m'empêcher de penser à Dieu. Même si je ne l'appelle plus, il m'obsède. Il m'a menti, c'est un fait ; il m'a abandonné, c'en est un autre, soit. Mais pourquoi ? Quel était son but ? Moi je n'avais rien demandé, j'étais peinard dans mon sex-shop, j'étais même pratiquement heureux, c'est dire, mais il a fallu qu'il vienne me parler, qu'il me choisisse. Mais c'était quoi le deal, putain ? Il m'avait promis de me révéler la raison de notre rencontre, mais je ne sais rien. Il m'a rebattu les oreilles avec sa fameuse question, pourtant je n'ai même pas eu le droit de l'entendre. Alors il m'a apporté quoi, au final ? Mon boulot, oui peut-être, mais j'en aurais trouvé un autre de toute façon. Maintenant que j'y pense, est-ce qu'Alice se serait attardée sur moi si je n'avais pas su toutes ces choses qu'il m'avait apprises ? En fait, c'est peut-être lui qui a décidé que je la rencontrerais, ensuite il m'a donné tout le bonheur possible avec elle, pour me la reprendre sans prévenir. J'ai sans doute été un sujet d'expérimentation pour lui, un cobaye dont il observait les réactions. Et puis, s'il connaît tout de nos vies, il savait dès le début pour Alice. Il aurait suffi que le premier soir il me dise : « Cette fille n'est pas pour toi, elle va te rendre très malheureux », je l'aurais écouté et rien de tout cela ne me serait arrivé. Il n'y aurait pas eu cet orphelin de mère qui reporte toute son affection sur un chien avec qui il ne cesse de parler, moi j'en aurais trouvé une autre, ou pas d'ailleurs, mais je n'aurais pas été brisé. Au mieux, mon ancien ami m'a regardé couler sans rien faire alors qu'il était au courant du naufrage, au pire il a tout manigancé. Dans les deux cas, il ne me méritait pas.

An quinze

« Allez, souffle et fais un vœu !

– Ça y est !

– Dis-moi, ton vœu ce n'était pas d'avoir la dernière console de jeux, par hasard ?

– Je peux pas te le dire, papa, sinon je serai pas exaucé, c'est comme pour les secrets !

– En tout cas, si tu pensais à ça, on pourra dire que c'était le vœu le plus rapidement exaucé au monde…

– C'est pas vrai ? ! »

J'ai à peine le temps de sortir le paquet de sous la table qu'il se rue dessus et arrache le papier comme si sa vie en dépendait.

« Tu me l'as achetée ? J'étais sûr que tu ne voulais pas pourtant, je te l'avais demandée cent fois !

– Que veux-tu, je suis un très bon acteur, c'est tout. Et puis, on ne fête ses dix ans qu'une fois…

– Merci mon papa, merci ! Je peux aller l'essayer ?

– Ah non, tu restes à table jusqu'à la fin du repas !

– Bon, d'accord…

– Mais je plaisante voyons, dépêche-toi d'aller t'amuser !

– Super ! »

Il serait resté si je ne lui avais pas dit que je plaisantais. Il est comme ça mon fils, toujours à vouloir me faire plaisir, à m'exprimer son affection. Pour preuve, il perd de précieuses secondes de jeu à m'embrasser et me remercier encore et encore. J'ai de la chance de l'avoir. Il respire le bonheur et la santé, et il a hérité de l'intelligence de sa mère. Il a tout pour réussir et être heureux.

Je me surprends, depuis quelque temps, à ne plus penser à Alice aussi souvent qu'avant. Pourtant, ça ne fait que six ans. Je m'en veux certains soirs de me rendre compte que je n'ai pas eu une seule pensée pour elle de la journée. Alors je me rattrape dans mon lit, je refais le film de notre vie. D'autres fois, plus rares, je me dis qu'il vaudrait sans doute mieux que je l'oublie une bonne fois pour toutes. Que j'arrête de l'aimer. Je pourrais alors recommencer à vivre, trouver quelqu'un d'autre. Les collègues au travail me disent que je plais à pas mal de clientes, et que la nouvelle secrétaire me mange des yeux. Je n'en suis même pas conscient. Le pire est que depuis six ans, je n'ai jamais eu aucun désir sexuel. Mon sexe se contente de temps à autre des érections réflexes du matin, point. Il ne réclame pas. Je me rends bien compte que ce n'est pas normal, surtout comparé à avant. Mais que puis-je y faire ?

Je crois n'être plus réellement malheureux maintenant. Je suis juste vivant, actif, et sporadiquement heureux, quand je suis avec mon fils. Bizarrement, il n'oublie jamais mon anniversaire alors que moi-même je n'y pense jamais. Il se débrouille toujours pour économiser longtemps à l'avance et m'offrir un cadeau. Moi, à son âge, si ma mère ne me rappelait pas que mon père fêtait son anniversaire le lendemain en me glissant un billet dans la main, je ne m'en serais jamais souvenu. Mais Léo n'est pas du tout l'enfant que j'étais. Et je pressens qu'il ne sera pas du tout l'homme que je suis. C'est un meneur, il est très aimé par ses camarades. Il est travailleur, les devoirs c'est sacré pour lui, je n'ai jamais eu à lui demander de les faire, je dois même lui dire d'arrêter de réciter sa poésie par cœur au bout de la vingtième fois et d'aller s'amuser. Il s'en sort vraiment bien, car pendant deux ou trois ans je n'ai pas été très présent. J'étais avec lui physiquement, mais mon esprit était avec Alice, soit dans le passé, soit dans un présent alternatif où elle n'aurait pas été renversée par cette voiture. Heureusement, Léo a une vraie force de caractère, que je n'avais pas décelée jusque-là. Il est bien dans sa tête, courageux. Pas comme moi, malgré ce que les gens aiment à me dire, que j'ai du courage d'élever mon fils en étant seul, qu'il est parfaitement éduqué et que ça n'a pas dû être facile pour un homme, ce qui doit vouloir dire que c'est facile pour une femme – aberrant. Autre aberration : ce que les gens prennent pour du courage, c'est juste ne pas avoir le choix. Léo non plus n'a pas eu le choix. Il s'est élevé pratiquement tout seul. Moi, je me suis contenté de le soutenir pour ne pas qu'il tombe, alors que j'aurais dû le pousser vers le haut. Il a donc choisi de grimper seul, par lui-même. À sa place, je me serais sans doute laissé tomber sans essayer de grimper. Moins on est haut, moins dure est la chute. Pourtant, maintenant que j'entrevois l'homme qu'il sera, je sais qu'il ne tombera pas. Il sera heureux, j'en suis persuadé, et cela même sans sa mère. Au début je n'osais pas l'espérer, mais aujourd'hui je dois me rendre à l'évidence : il aura une belle vie.

Une belle vie. Cette phrase... c'est exactement ce que m'avait dit...

« Tu as enfin compris... Bonjour.

– Je crois que oui. Bonjour.

– Pardonne-moi mais je ne pouvais pas te parler avant. Avant que tu n'aies compris. Cette réflexion, tu devais la faire seul. Il t'a fallu du temps, mais tu t'es souvenu.

– Oui.

– Je n'avais jamais promis le bonheur pour vous trois, ni même pour toi seul, d'ailleurs. Pourtant, tout à ta joie, c'est ce que tu avais cru entendre le jour de sa naissance. "Il aura une belle vie." Toi tu as compris "Vous aurez une belle vie", parce qu'en cet enfant tu voyais la famille que vous étiez devenus. Aujourd'hui tu sais.

– Aujourd'hui je sais. Il fallait que je voie son bonheur pour comprendre. Avant c'était trop tôt. Tu m'as manqué.

– Ressentir tout ce que tu ressentais... a été dur pour moi. Tu m'as manqué toi aussi. »

On s'est parlé pendant des heures. Avec lui j'ai pu, je savais qu'il me comprenait puisqu'il a souffert avec moi. Je lui ai demandé s'il était au courant depuis le début pour Alice, il m'a répondu que oui. Quand je lui ai dit qu'il aurait pu faire quelque chose, me prévenir pour que je lui dise au revoir ou pourquoi pas la sauver, il m'a rappelé notre conversation sur le libre arbitre, quand il me disait qu'il ne nous influençait pas. Je lui ai fait la même réflexion qu'à l'époque, qu'il m'avait bien influencé, moi, plusieurs fois. Lorsqu'il a commencé à m'expliquer, j'ai compris. Toutes les choses qu'il avait faites pour moi étaient liées à Alice. La couleur de la chemise, la petite

128

barbe, le baiser, il m'a dit que sans cela nous serions quand même tombés amoureux. Simplement, ça aurait pris plus de temps. Ensuite, lorsqu'il m'avait exhorté à aller la chercher chez sa mère après notre dispute, c'était juste pour gagner quelques jours, car elle serait revenue de toute façon. Et mon travail, c'est la proximité avec notre appartement qui l'a motivé à me le trouver, pour que je la voie au déjeuner, et que je rentre tôt le soir. Parce qu'il savait. Que notre temps était compté. Il m'a juste accordé plus de moments avec elle, le plus possible, pour que j'emmagasine un maximum de son amour. Parce qu'elle ne pourrait pas m'en donner très longtemps.

J'ai beaucoup pleuré, sans une once de retenue, sans la moindre honte. Les heures passant, je me suis senti mieux, plus léger. Je n'étais plus seul.

Alors que je m'étais assoupi, un peu assommé par mes émotions peut-être, je suis dérangé par des sortes de gémissements diffus. Toujours à moitié endormi, j'ouvre péniblement un œil, mais je ne vois rien. Je me concentre sur le son, mais rien non plus, pas un bruit. Un rêve sans doute. Au moment où je referme les yeux, les gémissements reprennent, plus présents cette fois. Aucun doute, je n'ai pas rêvé. Je me redresse en sursaut et comprends que ces halètements viennent de derrière moi. Au moment de me retourner, un cri absolument terrifiant hérisse tous les poils de mon corps, je la vois, là, face à moi, je la reconnais, c'est elle. La petite fille du film *L'Exorciste*. Elle bondit sur moi, fait tourner sa tête en criant : « Ta mère suce des queues en enfer ! », je me pisse dessus tellement j'ai peur. Elle se met à rire, je ne comprends plus rien, à mesure qu'elle rit de plus en plus fort, son corps se transforme. C'est encore lui, ce salaud, il m'a refait le coup. Il reprend sa forme habituelle en se tordant tellement de rire qu'il en pleure, le bougre ! Il se fout littéralement de moi en me demandant si je veux qu'il me mette une couche. La peur m'est passée et j'ai attrapé son fou rire, et on est restés là, à se fendre la gueule pendant je ne sais combien de temps.

« Je me suis fait avoir comme un bleu ! Ça m'avait manqué, ça aussi…

– Pareil pour moi. Ça fait vraiment du bien. Allez, à mardi ! »

Mardi soir, onze heures moins une. J'attends avec appréhension la reprise de notre rituel. J'ai tellement réfléchi depuis qu'on s'est revus, une question me taraude au plus haut point :

« Bonsoir.

– Salut. C'est reparti comme en quarante ?

– Bien sûr. Je sais que tu as une question à me poser, alors je t'écoute.

– Eh bien voilà : nous sommes d'accord sur le fait que tu as des pouvoirs immenses, mais que tu as choisi de ne pratiquement jamais t'en servir. C'est noble en un sens mais, à bien y réfléchir, tu ne fais rien pour l'humanité, et cela tout à fait sciemment. Du coup, et sans vouloir te blesser, je me suis surpris à me poser la question suivante : Dieu n'a-t-il pas la notion du bien et du mal ?

– Première chose : le mal n'existe pas. Seul existe le Malheur. Ne confonds pas le mal et le Malheur, ils n'ont rien à voir. Le mal est une notion, comme tu l'as justement dit, et comme toute notion, elle est interprétée très différemment selon les Hommes. Le Malheur quant à lui est une souffrance, et la souffrance, vous la ressentez tous de la même manière. Seules varient les raisons de cette souffrance.

– Donc je reformule ma question : tu n'as pas la notion du bien et du malheur ?

– Deuxième chose : le bien n'existe pas. Seul existe...

– C'est bon, j'ai compris le truc, je vais finir à ta place : "Seul existe le bonheur." C'est ça l'opposition, le bonheur et le malheur ? Après, tu vas me dire que le bien est une notion interprétée différemment selon les hommes alors que le bonheur...

– Je t'arrête, tu te trompes. Il ne s'agit pas de bonheur mais d'Amour. C'est l'Amour contre le Malheur, et non le bien contre le mal. Et non seulement j'ai conscience de cet affrontement, mais j'y suis partie prenante. Comprends-moi bien parce que je te dis cela quinze ans après notre première rencontre : je suis l'Amour.

– Mais attends, c'est un peu nul cette histoire avec l'amour, c'est ce que les curés nous répètent tout le temps ! Pourquoi tu viens me bassiner avec un truc pareil ?

– Je savais que tu n'allais pas adhérer. Pourtant, tu es parmi les mieux placés pour comprendre... Mon seul message, l'essence de mon existence, ce n'est que ça : l'Amour. Mais le mot est tellement galvaudé, tu as raison, j'ai même pensé à le changer, pourtant à quoi bon... L'Amour est tout.

– J'avoue que je suis déçu. Merci le message à délivrer : "L'amour est plus fort que tout, mes frères, alors aimez-vous !", c'est limite ringard. Et je ne sais pas pourquoi j'ai dit *limite*, c'est juste ringard.

– C'est là mon plus grand drame. Tu te rends compte qu'aujourd'hui, tenir en public un discours sur l'Amour te fait passer pour un benêt véritable, alors que raconter une bagarre dont on est sorti victorieux est quelque chose de glorifiant aux yeux des autres ? En es-tu conscient ? C'en est presque irrationnel.

– Mais c'est parce que l'amour, c'est nul comme notion, c'est...

133

– Je t'arrête encore : l'Amour n'est pas une notion. C'est l'Absolu. Aimer, c'est être un Homme, c'est aussi simple que cela.

– Mais il y a bien des gens qui n'aiment pas, non ?

– En un sens oui, mais pas comme tu l'entends. Naître humain ne signifie pas qu'on est un Homme mais… Écoute, tu ne veux pas faire une pause et que je t'en parle la prochaine fois ? Ce serait trop d'un seul coup, repense déjà à l'Amour, considère-le sans vos préjugés, l'Amour ce n'est pas une farandole de petits lapins et de cœurs roses, c'est tellement plus. Réfléchis-y, et mardi prochain je t'expliquerai le reste.

– D'accord, très bien. À mardi. »

Pour l'amour, avec le recul, je comprends. Ça me paraît même logique que ce soit lui. Mais l'histoire des gens qui ne sont pas des hommes, c'est une révélation. Énorme. Maintenant, au boulot ou dans la rue, je me demande s'il y a des « non-hommes ». Ils sont forcément parmi nous, je dois même en connaître certains ! C'est assez flippant. Ou alors la majorité est en prison. Des tueurs en série, des violeurs et autres barbares. Un peu comme s'il y avait deux races d'humains, les hommes et les autres. Si le monde le savait, tout changerait, il y aurait des répercussions colossales… Notamment sur la peine de mort. Aujourd'hui, l'abolition de la peine de mort est considérée comme un acte d'humanisme, tuer un homme étant intolérable et ce, quelles qu'aient été ses fautes. Mais quand on sait… Ce ne sont pas des hommes finalement. Donc l'argument ne tient plus. On n'aurait qu'à s'en débarrasser, l'esprit léger. Ils n'étaient pas des hommes, c'est pour cela qu'ils ont mal agi, mais du coup, plus de raison de s'en préoccuper. Peut-être pourrait-on même inventer un détecteur de non-hommes, au moins on saurait à quoi s'attendre…

Ce matin, la nouvelle secrétaire ne s'est pas contentée de me manger des yeux, elle en a fait cligner un à mon intention. J'ai été surpris. Je lui ai sorti une petite plaisanterie, elle a ri et m'a fait un clin d'œil. Étonnant. Elle est trop jeune pour moi. Même pas trente ans, je pense. Sur son badge il est inscrit « Marjorie ». Fut un temps, lointain, où j'aurais eu envie d'elle.

Léo m'a annoncé ce soir, de façon très solennelle comme à son habitude, qu'il avait une fiancée. Je l'ai complimenté, c'est bien d'avoir une amoureuse, il a rectifié en me disant qu'une amoureuse, c'était quand on aime une fille et qu'on ne le lui a pas dit, alors que là ils s'aiment tous les deux et ils se le sont dit, donc voilà c'est une fiancée et ça n'a rien à voir. Je ne sais pas si j'avais une fiancée, moi, à dix ans. J'étais à coup sûr secrètement amoureux d'une petite fille de ma classe, de plusieurs même, mais je n'ai jamais officialisé, ni avec elle ni avec mes parents, surtout pas. Je lui ai demandé comment elle s'appelait, il m'a dit Chloé. J'ai dit que c'était joli comme prénom, il m'a dit oui. Je lui ai demandé s'il voulait qu'on l'invite samedi, il m'a dit oui. Je lui ai demandé s'il avait le numéro de ses parents pour que je les appelle, il m'a dit oui. Je lui ai dit qu'apparemment il avait tout prévu, il m'a dit oui. Je lui ai demandé s'il comptait me dire oui toute la journée, il m'a dit oui. Je lui ai demandé s'il pouvait me prêter de l'argent pour m'acheter une nouvelle voiture, il m'a dit non.

Depuis trois jours, j'ai droit à mon clin d'œil tous les matins en passant devant l'accueil. C'est ma faute aussi, je réfléchis pendant le trajet à une petite plaisanterie à lui dire en arrivant, du coup, clin d'œil. Ce matin je n'avais plus de plaisanterie en stock alors j'ai tenté le compliment, je n'ai pas eu à me creuser l'esprit puisqu'elle arborait une nouvelle coiffure. Son rire a été plus contenu mais son clin d'œil plus affirmé. Elle a peut-être la trentaine finalement, certaines femmes paraissent plus jeunes que leur âge.

Lorsque Chloé, la dorénavant fiancée de mon fils, est arrivée samedi après-midi, je me suis fait la réflexion qu'il avait hérité de mon bon goût pour les femmes. Enfin, les filles dans son cas. Quand je le lui ai dit, il m'a confié non sans fierté qu'elle était la plus jolie fille de l'école. J'ai ajouté que l'essentiel c'était de la trouver gentille, il m'a dit qu'elle était gentille aussi, presque la plus gentille de la classe. Je suppose que le « plus jolie de l'école » rattrape le « presque la plus gentille de la classe ». Ou l'équilibre tout du moins. À peine était-elle arrivée qu'elle m'a demandé si Léo pouvait dormir chez elle le week-end suivant. J'ai voulu savoir si ses parents étaient d'accord et elle m'a dit « oui monsieur », ils allaient m'en parler quand ils reviendraient la chercher ce soir et ils feraient très attention à nous. Ces deux-là fonctionnent sur le même mode, le on-est-des-enfants-mais-on-prévoit-tout-sans-les-adultes. Quand je leur dis que Chloé et Léo sont des prénoms qui se ressemblent beaucoup, les trois lettres de Léo se retrouvant dans Chloé, ça leur fait très plaisir au vu du grand sourire qu'ils s'échangent. Ils m'avouent même qu'ils n'avaient jamais remarqué. Eh oui, c'est moi l'adulte.

« Ah, le temps m'a paru long ! Je n'ai pas arrêté de penser à cette histoire d'hommes qui n'en sont pas ! Alors ?

– Bonjour, quand même !

– Oui pardon, bonjour. Mais j'ai ma petite idée et je veux savoir si j'ai raison.

– Ta théorie sur les criminels, les non-hommes ? Elle est naze. Et dangereuse en plus, même si tu n'as pas pensé à mal.

– Désolé. Mais alors c'est quoi cette histoire ?

– Bon j'y vais. En fait, tous les Hommes, au début, n'en sont pas. Aucun d'entre vous n'est Homme à sa naissance. Avant d'être des Hommes, durant une période assez variable mais qui en général dure quelques mois, vous êtes une Vie. Comprends-moi bien, c'est très précieux une Vie, puisque vous êtes des Hommes en devenir. Mais vous n'êtes pas encore à proprement parler des Hommes.

– Alors comment devient-on des hommes ?

– Réfléchis un peu. De quoi avons-nous discuté la dernière fois ?

– Quoi, l'amour ? C'est le fait de ressentir l'amour qui fait de nous des hommes ?

– Oui. Et malgré ce que les gens pensent, la trop jeune Vie n'est pas capable d'amour. Le nourrisson a

138

une surabondance de besoins et une énorme carence en moyens d'y subvenir. Ses maigres moyens sont totalement mis au service de ses tentatives de communication, afin qu'on sache ce qu'il veut et à quel moment. Ce n'est qu'après avoir été rassuré sur sa propension à se faire comprendre que la jeune Vie peut s'ouvrir aux autres, et commencer à aimer.

– Alice n'aurait pas aimé t'entendre dire ça…

– La plupart des gens à qui je l'ai dit ont rarement voulu m'entendre. Surtout les mères. Il leur est difficile de concevoir que leur enfant ne les aime pas dès le premier contact. Or ce n'est pas de l'Amour, mais un besoin. Et un besoin tout à fait légitime puisqu'il est vital.

– Je les comprends, ces mères ! C'est complètement injuste que tu décides "tiens, toi t'aimes pas ta mère, t'es pas un homme" et hop, du jour au lendemain, "c'est bon t'es un homme".

– C'est pourtant la vérité. Il n'est absolument pas question de justice, simplement, cela se passe ainsi. Je suis Dieu, je suis bien placé pour dire ce qui fait l'essence d'un Homme puisque c'est moi cette essence.

– Mouais… Tu me diras, t'as pas eu d'enfant, toi ?

– Techniquement, non.

– Alors tu ne peux pas savoir. Parce que moi, j'étais là quand la sage-femme a posé Léo sur le ventre d'Alice, et je suis sûr qu'il l'aimait. Il l'a aimée dès la première seconde.

– Tu sais bien que je te dis la vérité…

– Je ne prétends pas que tu mens, mais pour Léo et Alice c'était différent. Tu peux me prouver le contraire ?

– Ce serait difficile, puisque tu n'es pas moi.

– Alors je continuerai à penser cela, parce que je l'ai vécu.

– Eh bien, je t'annonce solennellement que tu étais le dernier à qui j'en parlais, parce que ça se passe toujours mal, chaque fois ! Il est peut-être des choses que les Hommes ne sont pas prêts à entendre… »

Je ne sais pas ce qui m'a fait me décider, mais finalement, je vais me lancer. L'exemple de mon fils peut-être. Je n'ai pas grand-chose à perdre quand on y réfléchit, sinon un peu d'amour-propre en cas de refus. Je suis prêt à prendre le risque :

« Dites-moi, Marjorie, on pourrait peut-être se voir demain, qu'en dites-vous ?

– Oui, avec plaisir.

– J'aurais préféré qu'on ne soit que tous les deux, mais si vous voulez venir avec ce Plaisir… C'est un ami à vous ?

– La sale vanne que tu lui sors !

– Qu'est-ce que tu me fais toi, oh, mais t'es lourd, ramène-moi tout de suite ! C'est déjà pas facile pour moi alors n'en rajoute pas !

– La vieille blague, "Plaisir, c'est un ami à vous ?". Non mais t'as pas honte ?

– Arrête, non j'ai pas honte, et ramène-moi tout de suite, je vais avoir l'air tout bizarre maintenant, elle va croire que je ne suis pas à l'aise !

– Mais si, avec ton sublime trait d'humour elle ne pourra rien te refuser, c'est du tout cuit !

– Si tu n'arrêtes pas de te foutre de ma gueule et que tu ne me renvoies pas immédiatement, je te jure que mardi je n'ouvre pas la bouche ! En plus Léo est chez sa copine ce week-end, je veux tenter le coup ! Allez, tu vas tout me casser !

– Mais ne t'inquiète pas autant, elle va dire oui de toute façon, tu peux te détendre.

– Si elle dit vraiment oui, je te pardonne. C'est bon, tu me ramènes ?

– Oui… avec plaisir !

– Vas-y, moque-toi encore… Dépêche-toi !

– Ah ah, ne vous inquiétez pas, je viendrai seule. Je vous laisse mon numéro ?

– Merci. Je vous appelle demain, alors ? Bonsoir ! »

Un resto, je me suis dit que pour un premier rencard c'était bien. Je suis un peu nerveux. Un premier rencard, curieux de se dire ça… Mon premier rencard en quinze ans. En attendant Marjorie, je fais mienne cette phrase : aujourd'hui est le premier jour du reste de ma vie. J'ai du temps à rattraper. Ou plutôt, du temps à gagner. Je dois gagner le temps qu'il me reste, simplement en le vivant.

« Bonsoir, comment vas-tu ? On se tutoie, c'est mieux non ?

– D'accord.

– Tu es ravissante.

– Merci. Mais si tu veux on peut continuer à se vouvoyer au boulot.

– On verra comment ça se passe… Tu prends un apéritif ? »

J'avais oublié l'explosion de sensations que l'on ressent en faisant l'amour. Tel un amnésique sexuel, je ne me souvenais pas de la difficulté de se mettre à nu et chercher le jugement de l'autre dans ses yeux, découvrir aussi le corps de l'autre, ses odeurs, ses goûts. J'avais oublié la peur de mal faire, la peur de mal bander voire ne pas bander du tout, de ne pas tenir son rang d'homme, ne pas satisfaire. Est-ce qu'elle me trouve bon ? Est-ce qu'elle en rajoute pour me faire plaisir ? Vais-je la faire jouir, vais-je la faire jouir plusieurs fois, dois-je changer de position ? Combien de fois ? Vais-je arriver à m'abandonner, à jouir comme il faut, à jouir fort et bien ?

La mémoire du plaisir m'est revenue comme on reconnaît, des décennies plus tard, le petit chemin oublié de son enfance. On croit n'en avoir rien gardé mais, à mesure qu'on avance, on se rappelle ici un arbre, là un muret, à droite on reconnaît la petite fontaine et là-bas, tout au bout, la pierre sur laquelle on s'asseyait quand on voulait pleurer un peu. Dans ce lit, j'ai reconnu les caresses, les paroles au creux de l'oreille, les morsures dans le cou, le chemin du plaisir. Comme si je l'avais emprunté la veille, je me suis demandé comment j'avais pu l'oublier. Il était pourtant là, et n'avait pas beaucoup changé. Seule l'odeur n'était plus la même. Comme une odeur d'automne.

« Bon, je vais y aller, merci pour cette super soirée, tu as été génial !

– Tu t'en vas ? Tu ne veux pas dormir ici ?

– Oh non, je n'aime pas dormir dans un autre lit que le mien.

– On se revoit quand ?

– Ben lundi, au boulot comme d'habitude ! Tu me raconteras une petite blague en arrivant !

– Non, je voulais dire…

– Tu sais, je n'ai pas envie de me caser, je veux m'amuser, prendre du bon temps, comme ce soir ! Tu es déçu, tu avais cru le contraire ?

– Mais non, pas du tout, on s'est éclatés sans se prendre la tête, pas de malaise !

– Ah, super ! Allez un dernier bisou, au revoir mon apollon ! »

Ah ben merde.

« Dieu ?

– Oui ?

– Elle voulait juste… faire l'amour.

– Tu peux dire *baiser*, tu ne vas pas froisser mes chastes oreilles !

– Elle voulait juste baiser…

– J'ai bien vu, oui. Et alors ?

– Et alors rien, c'est bizarre, je m'y attendais pas.

– Tu t'attendais à quoi ?

– J'en sais rien en fait, mais elle m'a laissé planté là, je me suis retrouvé un peu con.

– Attends, elle a trente ans, toi quinze de plus, entre adultes, ça ne devrait pas te poser de problème ! Tu as aimé ?

– Oui, plutôt…

– Pluto c'est un chien de dessin animé, moi c'est Dieu, tu te trompes !

– Très drôle, je suis mort de rire…

– Eh bien voilà, c'est avec une vanne de ce niveau que tu l'as emballée. Ajoute un compliment vaseux et trois clins d'œil, et tu as la totalité de vos échanges d'avant ce soir. Tu t'attendais à quoi d'autre avec un tel passif ?

– À rien. J'avais juste oublié cet aspect de la chose, j'ai dû penser qu'on essaierait de se revoir, histoire de… Mais ça n'a aucune importance, tu as raison. Je me suis remis en selle, j'ai vécu quelques moments pour moi, pour la première fois depuis des années, ça me suffit largement comme résultat.

– Je n'ai rien à ajouter. Bravo. C'est très bien pour toi.

– Dis, toi qui sais tout, comment elle m'a trouvé, je veux dire, physiquement…

– Ah ! Mais c'est intime ça, monsieur !

– C'est bon, tu vas pas me la faire, dis-moi.

– Eh bien, quand tu as enlevé ton caleçon, elle a trouvé que tu avais un point en commun avec Freud ! Un tout petit point en commun !

– T'es un marrant, toi… »

Je suis resté sur mon lit, longtemps. À réfléchir à ce qui venait de m'arriver. N'ai-je pas eu tort de coucher avec elle ? En tout cas, ça m'a fait du bien, je me sens un brin chamboulé mais juste dans une petite partie de ma tête. J'ai encore besoin de faire l'amour. C'est revenu comme le vélo, sauf que là, j'ai envie de remonter en selle tout de suite. Pourtant je ne peux pas appeler Marjorie pour la voir demain, j'aurais l'air bête, ou pire, amoureux. Elle a eu raison de nous limiter à cette soirée, on n'a rien en commun de toute façon. Mais à qui je vais faire l'amour maintenant ? Avec elle, ç'a été facile, mais c'était la seule femme à me faire des clins d'œil. Je vais me pencher sur la question. En attendant, quitte à reprendre une activité sexuelle à deux, autant la reprendre en solo, dès ce soir. Ça aussi, ça devrait revenir vite.

Je dois le reconnaître, aller dans un bar et parler à des femmes dans le but de coucher avec elles, n'est pas une activité si compliquée. Ça marche une fois sur sept ou huit, ce qui est une moyenne assez honorable, je trouve. J'avais bien pensé à retirer mon alliance, mais finalement c'est un plus : elles la voient tout de suite, me demandent si je suis marié, je réponds oui et elles savent à quoi ne pas s'attendre. Pratique pour moi, j'évite les longs discours. Ludique pour elles, elles ont l'impression de me voler à une autre l'espace d'une nuit, une autre qu'elles s'évertuent d'autant plus à concurrencer que je la décris comme belle, intelligente et sensuelle. Je ne mens pas. Simplement, elle n'existe plus qu'autour de mon annulaire.

Léo me dit que j'ai dû me faire plus de copains que lui à sortir aussi souvent, mais il a l'air content pour moi, en plus la baby-sitter le laisse regarder le film quand je ne suis pas là, donc tout le monde est satisfait de la situation. Une nouvelle donne. Mes collègues disent ne pas me reconnaître, dès qu'une femme est dans les environs je suis sur le coup, prédateur. J'ai faim de femmes, j'ai envie de toutes les avoir.

Quand j'en suis arrivé à la dixième, j'ai commencé une sorte de journal de bord de mes conquêtes, très précis, avec les lieux de rencontre, la description physique, les positions, ce qu'elles disent pendant l'amour, si on a dormi ensemble ou pas, si elles ont voulu me revoir. Je n'accepte jamais. Je ne suis pas là pour ça. Je suis là pour revivre, et leurs corps m'y aident. Je me sens vivant.

Ce soir, je sors en quête de la numéro vingt-deux. Ça commence à faire. Enfin, disons que c'est un début encourageant.

An dix-sept

Je n'ai rien vu venir, ça m'est tombé dessus d'un coup. Ma conquête numéro soixante-quatorze venait de partir, et c'est monté, sans que je comprenne pourquoi. J'ai commencé à pleurer. Pas à cause d'elle bien sûr, à cause de rien. Je ne sais pas pourquoi j'ai pleuré ce soir-là.

Quelques jours après, j'ai pleuré devant un film. Pas un film émouvant, non, un film comique en principe. La troisième fois, c'était aux toilettes, la quatrième fois au boulot, j'ai dû m'isoler en vitesse. Ensuite je n'ai plus compté, je me suis contenté d'appréhender sans comprendre. J'ai fini par lui en parler.

« Qu'est-ce qui m'arrive ?
– Tu te mets à pleurer sans raison apparente, à des moments inopinés.
– Merci j'ai bien vu, mais pourquoi ?
– Pourquoi à ton avis ?
– Si je te le demande, c'est que j'en sais rien, bordel !
– Ne t'énerve pas. Tu es en dépression.
– En dépression, moi ? À mon âge ?

– Ça n'a rien à voir avec l'âge.

– Alors avec quoi ça a à voir ?

– Tu dois le trouver par toi-même.

– Dis donc, je suis pas un perdreau de l'année, tu vas pas me la jouer philosophe, genre la réponse est en toi il suffit de t'ouvrir à tes sentiments…

– Justement, parlons-en de tes sentiments.

– Y a rien à en dire.

– Comment ça ?

– J'en ai pas de foutus sentiments, à part pour Léo, le reste… tu crois que je vais avoir des sentiments pour les pétasses que je ramène ?

– Parmi celles que tu as ramenées comme tu dis, il n'y en avait pas beaucoup, de pétasses. Et il y en avait même quelques-unes de très bien, qui auraient pu t'aimer beaucoup.

– Je m'en fous qu'elles m'aiment. C'est pas ce que je cherche.

– Mais que cherches-tu ? Tu voulais te sentir revivre dans quelques paires de bras, tu l'as fait depuis longtemps. Et toutes les suivantes ?

– J'en sais rien. Le problème n'est pas là.

– Si tu le dis…

– Bon, tu vas m'aider ?

– T'aider à quoi ?

– À arrêter de chialer comme une pisseuse ! T'imagines si ça m'arrive en plein milieu d'une réunion ! Qu'est-ce que je vais faire ? »

Ça ne s'est pas arrêté. C'est allé en empirant. Je pleurais tous les jours, et ensuite plusieurs fois par jour. C'est devenu handicapant, j'ai pris trois semaines de congé et j'ai laissé Léo à sa grand-mère. Je suis resté seul à la maison. Je me suis demandé si j'avais besoin d'aller voir un psy, pour de bon cette fois, alors j'ai tenté le coup. J'en ai choisi un au hasard

– un homme, maintenant je me méfie. Mais ça n'a rien donné, je n'avais pas envie de parler, je n'arrive à parler qu'à lui de toute façon.

« Dieu ?

– Ce que tu vas me demander ne va pas me plaire.

– Fais-le pour moi s'il te plaît, je ne sais plus où j'en suis, je me fais peur avec ces conneries de crises de larmes.

– Bon sang, je vais pas te faire une thérapie, non ?

– Et pourquoi pas ? Avec toi, je suis à l'aise pour parler.

– Ce n'est pas mon rôle. Je ne suis pas psy. Remets-toi un peu en question, voyons, ressaisis-toi !

– Mais tu ne vois pas que je souffre, bordel ! J'ai mal et je ne sais même pas pourquoi ! Tout allait mieux et maintenant c'est pire ! Aide-moi je t'en prie, tu ne peux pas me laisser seul avec ça, tu ne sais pas ce que c'est que souffrir…

– Ne dis pas d'absurdités pareilles…

– Je ne dis rien d'absurde ! Toi tu es là, tout-puissant, tu pourrais m'aider, mais non, tu ne fais rien et tu te fous que j'aie mal parce que tu ne l'as jamais vécu !

– Tais-toi !

– Non, je ne me tais pas ! Tu ne me comprends pas, tu n'as pas de cœur, tu n'as pas idée de ce que c'est que souffrir !

– Tu veux que je te parle de souffrance ? TU VEUX QUE JE TE PARLE DE SOUFFRANCE ! Sais-tu seulement pourquoi je connais tout de vous, t'es-tu jamais posé la question ? Je sais tout parce que je vis tout en même temps que vous, tu comprends, je suis vous, je suis chacun de vous ! J'ai enduré à moi seul toutes les souffrances des Hommes, de tous les Hommes ! Tu veux savoir ce que c'est que souffrir ? Je vais te l'expliquer, moi, la souffrance : à cet instant précis, à cette seconde, je m'appelle Ratih, j'ai onze ans et je suis en train de mourir de faim dans mon village où j'en ai vu tant d'autres mourir avant moi. Je sais ce qui m'attend et je fais tout pour supporter, mais c'est trop dur, je ne tiens plus debout depuis des semaines, je suis allongé et des escarres me creusent la peau, ma mère ne me pleure même plus tellement elle a pleuré pour mes frères et sœurs partis avant moi. Je sais ce qui m'attend et j'ai mal. À cet instant précis, à cette seconde, je m'appelle François, j'ai quatre-vingt-dix ans et pas de visite depuis plus de huit ans à part l'infirmière, moi ce n'est pas mon ventre qui est vide c'est mon cœur, on m'a oublié, je n'existe plus pour personne, tu m'entends, pour personne, ma propre famille, mes enfants, ils ne m'ont jamais détesté, j'ai toujours été bon avec eux, mais je suis vieux et je les embarrasse, alors ils ont préféré m'oublier, me rayer de leur vie, j'ai envie de mourir mais la mort ne vient pas, je ne veux pas me suicider car je crois en Dieu, alors j'attends, j'ai mal et j'attends. Mais ce qui me fait le plus mal, c'est qu'au matin de mon anniversaire ou bien le soir de Noël, j'ai toujours l'espoir. Pas une visite, non, juste un appel. Un appel qui n'arrive jamais. Et j'espérerai encore les fois prochaines, s'il y en a. Je continue à te parler de souffrance ? À cet instant précis, à cette seconde, je m'appelle Amber, j'ai cinq ans et le monsieur qui était avec maman tout à l'heure lui a fait une piqûre dans le bras et il s'en est fait une lui aussi, maintenant maman dort par terre en parlant bizarrement, et le monsieur m'emmène dans ma chambre, baisse mon pantalon, il me touche partout, il me fait mal, il rentre ses doigts et je pleure mais si je crie il me dit qu'il va tuer maman, maintenant il m'allonge sur le ventre et il rentre quelque chose je ne peux pas m'empêcher de crier parce que je sens ma peau qui s'arrache et qui saigne et lui il me donne des coups par-derrière de plus en plus vite et de plus en plus fort je crois que ça s'arrache aussi à l'intérieur de moi et que ça saigne encore plus, et j'ai tellement mal que je vomis sur ma poupée et je m'évanouis. À cet instant précis, à cette seconde, je m'appelle Timo, je roulais tranquillement sur l'autoroute et un camion m'a percuté à pleine vitesse. Le choc a été terrible. Je suis incapable de bouger et je n'entends plus rien. Je parviens à redresser un peu ma tête et je ne vois pas mes jambes, mes pieds sont tombés à côté des pédales et je comprends que les morceaux de chair disséminés un peu partout sont à moi, ce sont mes jambes, je hurle mais je ne m'entends pas hurler, je regarde mon ventre et il est grand ouvert, je vois mes boyaux qui pendent, je me dis que non c'est un cauchemar, mais mon corps se réveille et la douleur aussi, le son revient et j'entends des gens qui crient tout autour, je vois une voiture qui brûle et des mains prisonnières qui frappent les vitres de l'intérieur au travers des flammes, je prie pour que tout s'arrête et je pense à ma femme et à mes parents, comme je les aime. Tu veux encore de la souffrance ? À cet instant précis, à cette seconde, je m'appelle Santos, je suis sorti pour acheter des couches à ma petite Inaïa dans une boutique ouverte la nuit, pas très loin. Je suis à quelques centaines de mètres de chez moi, mais une bande de gamins des rues sort de nulle part, commence à m'entourer et à me demander de l'argent. Je leur donne toute la monnaie qui me reste, mais ils veulent plus, l'un d'entre eux me frappe par-derrière, j'essaie de les calmer, ils sont trop nombreux, un deuxième me frappe au visage et les coups pleuvent, j'ai mal partout, ma tête part de tous les côtés et je m'effondre. Ils s'arrêtent. Mais l'un d'entre eux sort de son sac des piques à brochettes et les distribue aux autres, il leur dit qu'il faut m'embrocher comme le riche porc que je suis et les autres rient, ils s'approchent avec leurs piques à la main, la première se plante dans mon ventre et la douleur est terrible, je hurle au secours mais les lumières des appartements s'éteignent quand je regarde dans leur direction et les gamins continuent à rire, ils me plantent les piques dans le dos, dans les cuisses, ça ne s'arrête pas et j'ai toujours aussi mal, encore plus, puis ils m'en plantent dans le visage à travers les joues et ça les fait rire de plus belle, l'un d'entre eux s'approche et attrape ma tête d'une main, je le supplie mais il me dit de bien le regarder, et il plante la pique dans mon œil et l'enfonce aussi fort que possible. Je sens le métal pénétrer, la douleur et la peur sont indicibles, j'entends les chairs qui s'écartent dans ma tête et puis plus rien. À cet instant précis, à cette seconde, je m'appelle Safiya, j'ai été mariée de force il y a longtemps, mais j'ai retrouvé mon premier et seul amour il y a quelques semaines, il était devenu veuf et nous nous sommes revus en secret. Mais on nous a dénoncés, et je me retrouve là, ligotée, cagoulée, enterrée jusqu'à la taille et recouverte d'un drap. J'entends les hommes autour de moi, ils crient, ils sont fous, je les entends faire s'entrechoquer les pierres qu'ils ont dans les mains, il leur tarde de me les lancer et j'ai tellement peur, j'ai peur d'avoir mal. La première pierre me frappe par surprise au visage, le choc est si violent qu'il me casse les dents et la mâchoire, les os de mon palais tombent sur ma langue et le flot de mon sang m'étouffe. La deuxième pierre arrive déjà, elle brise mes côtes qui me perforent un poumon, je n'arrive plus à respirer mais tout va si vite et si lentement, plusieurs pierres me frappent en même temps, si violemment que je n'arrive pas à crier, j'entends leur bruit sourd et la résonance de cette pluie dans ma tête tandis que mes os se brisent un à un, que ma peau et ma chair se déchirent, j'ai si mal et je voudrais que tous les hommes meurent, mais ça y est la douleur s'en va, il ne reste plus que les cris de ces chiens et le bruit de mes os, ce sera fini bientôt… Tu en veux encore ? À cet instant précis, à cette seconde, je suis un enfant qu'on égorge pour le plaisir et je ne comprends pas, je ne comprends rien, j'ai peur et j'ai mal, je suis un homme à qui on coupe la main parce que j'ai volé un fruit mais j'avais trop faim et j'ai tellement mal, je suis une petite fille qui se noie dans la piscine de papi, je n'arrive pas à remonter et je sens l'eau qui entre et j'ai si mal, j'ai l'impression que je vais exploser de l'intérieur, je suis une cancéreuse en phase terminale qui vomit sa propre merde, je suis une mère qui accouche d'un enfant mort, je suis, je suis… »

Il ne trouve plus ses mots, il arrête de parler, il ne peut plus, il n'en peut plus. Il relève la tête, me regarde, et… il se met à pleurer. Je vois Dieu pleurer. Alors je m'avance vers lui et je lui prends la main. C'est la première fois que je le touche. Sa main est chaude, comme la mienne. Je passe mes bras autour de son corps et je le serre comme il pleure, tellement fort. Et face au monde qui vit en lui, face à la douleur et à la peine, je pleure moi aussi. Comme le temps passe, comme les hommes souffrent, Dieu pleure dans mes bras.

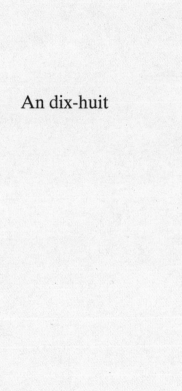

An dix-huit

Je n'ai plus pleuré après ça. Il m'a remis sur les rails en quelque sorte. On n'en a pas reparlé, je pense que la pudeur c'est de lui aussi. Tant mieux, car de toute façon, je n'aurais pas su quoi lui dire. Quand on vit des moments pareils, les mots n'ont plus vraiment de sens il me semble, en tout cas moi je ne les ai pas trouvés. J'ai arrêté ma quête insensée de femmes, c'était ridicule, je me suis menti et c'est ce mensonge qui m'a rendu malade. Pourtant je ne crois pas être prêt à rencontrer une femme, une femme avec qui vivre des choses fortes, redécouvrir les sentiments, tenter de les apprivoiser de nouveau. Les gens me disent que si ça doit se faire, ce sera naturellement. « Naturellement », ça ne veut rien dire, c'est le hasard qui en décidera, puisque même Dieu n'y est pour rien. Dernièrement, ma belle-mère, enfin la mère d'Alice, m'a dit que ce serait bien pour Léo qu'une femme entre dans notre vie, s'installe à la maison. Je n'ai pas su quoi lui répondre.

La vie a repris son cours normal. Enfin, normal pour moi. Parenthèse extraordinaire d'un homme ordinaire devenu un temps chasseur de femmes. Dieu me l'a bien fait comprendre, j'ai certainement blessé nombre de ces femmes, dont les attentes ont dû commencer quand moi je n'attendais plus rien. C'était bien là mon problème : ne plus rien attendre. Il m'a fallu trouver un vrai sens à ma vie. Après avoir longuement réfléchi et m'être de nombreuses fois entretenu avec Dieu, j'ai décidé de me consacrer quasi exclusivement au bonheur de mon fils, à son épanouissement. Ma mission sera simple : devenir un père modèle. Après ces années perdues en père fantôme puis en père noctambule, je lui dois bien ça. Un bon père. D'autant qu'il est adolescent maintenant, même si j'ai du mal à l'accepter, ou du moins à m'en rendre compte. Je me souviens que moi, à l'adolescence, j'étais un peu perdu. La puberté est arrivée comme une bien étrange surprise, étant donné que mon père ne m'avait pas du tout parlé des changements qui nous perturbent à cet âge-là. Je ne laisserai pas mon fils nager dans le doute comme je l'ai fait.

J'ai décidé d'avoir avec lui une conversation sérieuse le soir de ses treize ans, une discussion « entre hommes ». Ces mots ont tout de suite installé une ambiance on ne peut plus concentrée dans la pièce, presque pesante. Il m'a regardé avec un air concerné, et m'a demandé ce que j'avais à lui dire. J'ai alors improvisé un discours que, par sécurité, j'avais soigneusement écrit les jours précédents :

« Mon fils, tu as treize ans aujourd'hui. Treize ans, c'est l'âge des changements. De garçon, tu vas devenir homme. Ta voix va muer, ton corps va changer, tu vas notamment avoir des, euh, des érections, tu sais ce que c'est qu'une érection ? Bon, sous l'effet des hormones, tu vas ressentir des pulsions envers les filles, attention il y a aussi des garçons qui ont des pulsions envers les garçons, moi ça ne me dérange pas je suis ouvert, hein, si c'est le cas tu peux

162

me le dire, pas de problème, mais les filles, c'est tout de même mieux, tu verras. Et puis je te connais… Enfin bref, ces pulsions sont normales à ton âge, et si tu as des questions sur la sexualité, sur l'amour ou si tu as des problèmes, sache que ton père sera toujours là, pour répondre à toutes tes interrogations, partager tes doutes. Pas de tabous entre nous, jusqu'à maintenant tu avais un père, dorénavant tu as un père et un ami. Un ami peut tout entendre. Je veux que tu aies confiance en moi et que tu n'hésites pas à venir me parler, à n'importe quel moment, tu ne me dérangeras jamais. Qu'en dis-tu ?

– D'accord, papa ! »

Ensuite il m'a embrassé et est allé dans sa chambre. Pour réfléchir à notre conversation, probablement.

Ce matin Léo me réveille de bonne heure, il m'apporte mon café au lit. Voilà qui fait plaisir.

« Merci. Tu es matinal, tu n'as pas bien dormi cette nuit ?

– Si, si. Par contre, euh, t'étonne pas quand tu feras ma chambre, mes draps sont tout tachés.

– Comment tu as fait ?

– …

– Tu as encore mangé au lit, c'est ça ?

– …

– Mais dis-le-moi, je ne vais pas t'engueuler !

– T'as pas compris ? J'ai taché mes draps, quoi ! Cette nuit je suis devenu un homme, je vais pas te faire un dessin, si ?

– Ah. Ah oui d'accord ! Eh bien, c'est bien, c'est… bien. Bravo.

– Je vais chez Jérémie. Ciao. »

Bravo ? Mais qu'est-ce qui m'a pris de lui dire « bravo » ! C'est tout à fait nul comme réponse. Indigne de moi ! J'aurais dû être plus spontané, lui demander comment il se sent, si tout va bien, je ne sais pas moi, un truc rassurant. Ou alors j'aurais dû jouer la carte de l'humour. Quand il m'a demandé s'il devait me faire un dessin, j'aurais dû lui rétorquer que lui en tout cas, il m'avait sûrement dessiné la carte de France sur ses draps ! Ah, elle était bien celle-là ! C'est dommage, il est déjà parti. Il me dit ça au réveil lui, je n'étais pas préparé. Je serai meilleur la prochaine fois.

Je passe le maximum de temps avec mon fils. Je trouve presque bizarre que la vie d'adolescent lui soit si simple. J'ai bien pensé à demander des tuyaux à Dieu, qu'il me révèle des choses sur lui, mais je me suis ravisé. D'abord il aurait pu refuser, et ensuite il m'a déjà dit que le principal irait bien, donc je préfère ne pas connaître le détail, ce qu'il ne veut pas me dire. Le simple fait d'imaginer que mes parents aient pu connaître ne serait-ce qu'une partie de mon jardin secret m'aurait absolument horrifié. Alors je ne veux pas l'infliger à mon fils. Il est bien comme il est, toujours fourré avec ses amis ou à rigoler au téléphone, à faire du sport… Il n'a jamais l'air triste ou trop préoccupé. On se réserve des moments pour être ensemble, faire des choses à deux, discuter. Ça n'a pas l'air de l'ennuyer, preuve que je ne dois pas être un père trop ringard. On parle librement de beaucoup de choses, du collège ou de ses copains, de ses copines aussi, il est étonnant, ça ne le dérange visiblement pas de me dire qu'Unetelle lui plaît bien, qu'une autre le drague mais qu'il ne la trouve pas très jolie, il me raconte les petites bêtises qu'ils font en classe aussi, et qui l'amusent beaucoup.

Mercredi nous sommes allés au cimetière, pour l'anniversaire d'Alice.

« Dis, elle était comment, maman ?

– Elle était… parfaite. Une femme et une mère parfaite, vraiment. Je ne dis pas ça pour te laisser une image d'elle des plus positives, simplement c'est vrai. Elle était toute ma vie.

– Tu sais, je me souviens plus trop du jour où c'est arrivé…

– Malheureusement moi je m'en souviens très bien. Chaque moment, chaque image. C'était terrible, un cauchemar. Ta mère était la femme de ma vie. Comme dans les films, mais en vrai. Je ne te l'ai jamais raconté, mais quand je suis allé la voir à l'hôpital, les médecins ont dû me piquer de force parce que j'avais tabassé quelques-uns d'entre eux.

– Vrai ?

– Vrai. Et des infirmiers aussi.

– Mais je t'ai jamais vu te battre, moi, pourtant !

– C'était différent, j'étais fou de chagrin tu sais, et j'en voulais terriblement à… au monde entier. Alors mon chagrin est sorti de cette manière. Ma souffrance est passée par mes poings. J'ai été dévasté.

– Et maintenant tu vas mieux ?

– Oui, on peut dire que ça va mieux. Grâce à toi, notamment.

– Alors pourquoi tu ne te trouves pas une autre femme ?

– Je ne sais pas.

– Tu crois pas que maman voudrait ?

– Qu'elle voudrait ?

– Ben oui, pour ton bien, depuis le temps…

– Si c'était si simple. Si je pouvais le lui entendre dire… Mais je ne sais pas.

– Moi je crois que tu devrais. Je serais content en tout cas. Si elle est gentille hein, et jolie aussi. Enfin je veux dire, jolie pour toi.

– Comment je dois le prendre, ça ? Une jolie vieille, tu veux dire ? Une vieille avec de jolies rides pour ton vieux père ?

– Mais non, oh, t'as pas compris…

– Je sais, je plaisante. C'est gentil. »

J'ai pris sa tête sous mon bras et l'ai embrassée. Il m'a souri et s'est dégagé, un peu.

Je suis anxieux, très anxieux même, Dieu m'a dit que ce soir il me ferait un cadeau. Sur le coup j'étais juste content, mais à force d'insister pour en savoir plus, il m'a dit que ce cadeau était une révélation. Qu'il était temps que je sache. Mon stress est à son paroxysme. Quelque chose sur l'humanité peut-être ? Un autre secret divin ? Ou une révélation sur mon avenir, je ne sais pas. Parfois, je me dis qu'il n'est pas conscient de l'effet qu'il peut produire sur moi, surtout en m'annonçant des choses pareilles. Comble du suspense, il est onze heures dix et il ne m'a toujours pas fait venir. C'est la première fois que ça arrive.

« Bonsoir !
– Dis-moi, c'est quand ton anniversaire ?
– Je n'ai pas d'anniversaire, voyons.
– Ah, dommage parce que je t'aurais offert une montre, tu es en retard de dix minutes !
– Je l'ai fait exprès. J'aime bien quand tu te creuses les méninges !
– Sympa, merci. Bon, alors, et ma révélation ?
– C'est simple : je vais te révéler la raison pour laquelle je ne pouvais choisir personne d'autre que toi.

– Ah, enfin, la fameuse raison ! Il t'en aura fallu du temps !

– Mais attention, comme tout cadeau, il faut le mériter. Je vais donc te demander de répondre à deux questions.

– D'accord, allons-y, vite !

– Première question : quelle a été la rencontre la plus importante de ta vie ?

– Alice, tu le sais bien.

– Deuxième question : peux-tu me rappeler le Savoir numéro Quatre ?

– Évidemment, tu me l'as fait apprendre par cœur ! Tu m'as dit mot pour mot : "Tu ne dois pas accorder à notre rencontre plus d'importance qu'elle n'en a réellement."

– Eh bien voilà. Avec ces deux réponses tu sais pourquoi je t'ai choisi.

– Non, vraiment, ce n'est pas très clair.

– Réfléchis ! Tu m'as dit spontanément que la rencontre la plus importante de ta vie était Alice. N'importe qui à ta place aurait répondu que le plus important, c'était moi ! Rencontrer Dieu, rends-toi compte !

– Désolé si je t'ai vexé…

– Mais ne t'excuse pas, au contraire c'est formidable puisque c'est grâce à cela que nous nous sommes rencontrés ! Tu étais le seul à pouvoir intégrer le Savoir numéro Quatre, donc le seul à qui je pouvais parler. Tu connais mon attachement à votre libre arbitre ? Eh bien, me rencontrer n'a pas bouleversé ta vie, ne t'a pas fait prendre des décisions différentes. Je ne t'ai pas rendu moins libre. Voilà pourquoi nous nous sommes rencontrés.

– Ça alors… En fait je n'y suis pour rien, moi, puisque je n'en étais pas conscient…

– En effet.

– Donc, finalement, si je t'ai rencontré c'est grâce à Alice.

– Oui. Parce qu'elle a été plus importante que moi. »

Alice, encore. Elle m'aura décidément tout apporté. Mais pourquoi, quand il m'a posé cette question, l'ai-je choisie elle plutôt que lui ? Je ne sais pas. Peut-être que le plus important n'est pas l'amour, mais la personne qui nous apprend à aimer.

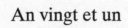

An vingt et un

Léo m'a dit qu'il voudrait me parler de choses sérieuses ce soir. Il me l'a annoncé de façon si solennelle dès le matin que je ne cesse de me poser des questions. Que peut-il avoir à me dire qui nécessite une si longue préparation psychologique de ma part ? J'ai pourtant l'impression que tout va bien pour lui, comme toujours me semble-t-il. Il m'arrive parfois de penser – même si Dieu m'a prévenu de son bonheur ou en tout cas de sa belle vie – que mon fils doit forcément me cacher des choses. Des choses qui ne vont pas, qui le tourmentent, enfin je ne sais pas, mais, à seize ans on a des problèmes, en principe. Et même si on n'a pas de vrai problème, on s'en construit, un vague à l'âme, des coups de déprime, des petits chagrins d'amour, des choses qu'on regrette. Bien sûr il est beau, et quoi qu'on en dise, ça aide. Surtout à cet âge-là. Il est intelligent, il plaît aux filles, tout roule. Je crois même que si j'avais été un de ses camarades de classe, il m'aurait un peu énervé à être aussi à l'aise, cool comme on disait à mon époque. Je ne sais même pas ce qu'on dit maintenant, tiens. En plus je ne gagne pas trop mal ma vie, il ne manque de rien, il est même plutôt gâté alors qu'il est loin d'abuser de ma générosité. Enfin, j'attends de savoir ce qu'il a à m'annoncer.

« Tu sais, c'est un peu bizarre ce que j'ai à te dire. En fait, je me pose des questions. Euh, je sais pas trop comment t'expliquer…

– C'est à propos de quoi ?

– De l'amour.

– Vaste sujet !

– Non mais là, c'est une question précise. Bon, je vais te raconter. En fait, tu vois, ça fait quoi, trois mois que je suis avec Sabrina ?

– Peut-être un peu plus, oui.

– Eh ben elle m'a largué hier. Elle m'a dit que j'avais pas de temps pour elle, que je préférais mes copains, que lui dire que je l'aimais ça suffit pas, qu'il fallait le montrer aussi, et tout ça.

– Tu sais, à seize ans, c'est normal d'avoir des chagrins d'amour. J'en ai eu moi aussi.

– Mais c'est pas ça le problème, justement !

– Ah, et c'est quoi le problème ?

– Ben le problème, c'est l'inverse, c'est que je suis pas malheureux. Ou à peine.

– Eh bien tant mieux ! C'est qu'elle n'était pas faite pour toi !

– Non pas tant mieux ! J'en ai eu quelques-unes, des copines, t'en as vu à la maison, plus celles que je t'ai pas présentées.

– C'est bon, Don Juan, n'exagère pas quand même !

– Non mais c'est pour te dire, je suis sorti avec pas mal de filles, et voilà mon problème : chaque fois que ça s'est terminé, j'ai pas été triste. Jamais. Y en a qui ont pleuré, elles étaient malheureuses, mais moi jamais.

– Et alors ? Je ne vois pas trop…

– Et alors toi avec maman tu as été très malheureux. Parce que tu l'aimais très fort. Donc si je suis pas malheureux c'est que j'aime pas fort ou que j'aime pas du tout. Et c'est grave.

– Attends mon grand, ça n'a rien à voir !

– Ben si ! J'ai l'impression d'être un handicapé des sentiments ! C'est hyper important d'être amoureux pour être heureux, non ? Donc j'ai un problème.

– Mais non…

– Tu sais, j'espère que tu vas pas m'en vouloir, mais un jour j'ai fouillé dans tes vieilles affaires que tu gardes de maman, et dans la petite boîte j'ai trouvé les mots qu'elle t'écrivait.

– Et tu les as lus ?

– Oui. Tu m'en veux pas, dis ?

– Je ne sais pas.

– Je voulais la connaître, savoir des choses sur elle, alors…

– Je comprends.

– Eh ben quand je les ai lus, ces mots, j'ai vu que maman elle était super amoureuse. C'était trop beau, on aurait dit un livre.

– Oui, je lui disais souvent qu'il fallait qu'elle écrive un roman.

– Sauf qu'elle, elle le vivait en vrai. Attends c'est incroyable, elle était super trop amoureuse, elle l'écrivait souvent, à part au début, mais même quand c'était pas écrit on comprend, ça se voit trop qu'elle était heureuse d'être amoureuse. T'as eu de la chance et elle aussi parce que moi, j'ai jamais ressenti ce qu'elle te disait. Même qu'une fois j'ai essayé d'écrire un mot à Sabrina comme ceux de maman et c'était niveau zéro…

– C'est parce que tu ne le ressentais pas !

– Justement. C'est bien le problème. L'amour comme maman, moi je le ressens pas.

– Écoute mon grand, l'amour comme maman c'est quelque chose qu'on ne rencontre qu'une fois dans une vie. Parce que des femmes qui aiment comme maman je n'en ai pas rencontré d'autres, c'est aussi rare que des diamants. L'amour comme maman, je ne crois pas que ça puisse venir à seize ans, moi j'avais trente ans tu sais, presque deux fois ton âge, et encore j'ai vraiment eu de la chance. L'amour comme maman, c'est tellement rare que je ne m'en suis jamais remis. Alors ne sois pas pressé. La chance que tu as, l'immense chance, c'est de savoir ce qu'est un amour comme maman. Alors quand il viendra, tu sauras le reconnaître et ça, c'est encore plus précieux. Parce que tu l'apprécieras à chaque instant. L'amour comme maman tu le vivras un jour, je t'assure.

– Tu crois ?

– J'en suis sûr. Alors en attendant, continue d'être heureux, et surtout, n'oublie pas d'aimer comme on aime à seize ans. Même si c'est juste un peu. Peut-être que tous ces "un peu" s'ajouteront avec le temps, et qu'ils feront que tu pourras aimer beaucoup un jour, comme une réserve d'amour que tu gardes pour la bonne personne. Ça sortira tout seul quand tu la reconnaîtras, et ça ne s'arrêtera plus.

– C'est bien comme idée, la réserve d'amour. Je prends. »

Il a l'air d'avoir compris. Il repart avec un sourire distrait, il va certainement essayer de s'imaginer celle qu'il aimera aussi fort. L'amour comme maman, c'est drôle comme expression. Je vais la garder, en synonyme d'amour absolu, parfait. Après tout, j'ai eu de la chance de le vivre, même si ça n'a pas duré assez longtemps. Je l'ai vécu, cet amour. L'amour comme Alice.

An vingt-cinq

« Tout se passera bien pour moi, ne t'inquiète pas. Et tu pourras peut-être enfin refaire ta vie… »

Il me dit ça avec un grand sourire, mais beaucoup d'émotion dans la voix. Il m'embrasse, vérifie que le matelas est assez solidement arrimé pour ne pas se décrocher en route, et il démarre. Marion me fait au revoir de la main, elle est visiblement très heureuse que Léo emménage chez elle, aussi heureuse que lui. Ils ont vingt ans et leur vie commence. Quant à refaire la mienne comme Léo le voudrait tant… Je me dois d'être lucide : j'ai cinquante-cinq ans, je n'ai pas vécu en couple depuis plus de seize ans, j'ai pris des habitudes de vieux bonhomme dont je ne sais si je serais capable de me débarrasser, si tant est que j'en aie envie, ce qui ne me semble pas être le cas. D'ailleurs, ces derniers temps, je voyais bien que Léo en avait assez de vivre avec moi, il ne me l'a jamais réellement montré, mais je sentais que mes manies l'ennuyaient. J'ai de plus en plus de mal à supporter le bruit, l'agitation, j'achète toujours les mêmes choses dans les mêmes endroits, je regarde les mêmes émissions, finalement j'ai trouvé un équilibre dans ma routine, et les choses vont plutôt bien.

Je me suis souvent senti seul, mais jusqu'à il y a peu, je ne m'étais jamais senti vieillir. Pourtant j'ai été forcé de me rendre à l'évidence : aujourd'hui je suis vieux. Pas un vieillard, bien sûr, je suis même plutôt en forme. Mais bon… on me considère généralement avec respect, et il y a des lustres que même les gens de ma génération ne me tutoient plus au premier abord. C'est un signe qui ne trompe pas. Et puis, il y a mon corps. Je ne l'ai pas vu vieillir lui non plus. Ce matin je me suis regardé dans la glace sous toutes les coutures et j'ai fait ce terrible constat : je ne me reconnais pas. Enfin si, je me reconnais, mais l'image que j'ai encore de moi dans ma tête ne ressemble plus vraiment à celle que je vois dans le miroir. C'est comme si j'étais caché dessous. Sous la couche du vieux moi.

J'appréhende de me retrouver seul dorénavant, je l'aime tellement mon fils, il est aussi devenu mon ami en grandissant, et être privé au quotidien de son fils et de son ami… Je ne sais pas. Je crois qu'il va falloir que je me recrée une vie sociale sous peine de la voir limitée à quelques appels de mon fils et mes mardis soir avec Dieu. Je crains que ce ne soit un peu chiche, parce que mine de rien, je deviens de plus en plus bavard, s'il y a bien quelque chose que j'aime c'est parler. Et lire aussi. Mais si je continue comme ça je vais avoir tellement de temps libre que je vais devoir transformer la chambre de Léo en bibliothèque.

Je ne sais pas comment faire. Où rencontrer des gens ? Les collègues au travail se sont épuisés à m'inviter par le passé et j'ai toujours refusé poliment, en conséquence il y a belle lurette qu'ils ne m'invitent plus. Je me vois mal arriver tout sourire un matin et inviter tout le monde à une fiesta à la maison ! Et puis je ne saurais pas comment m'y prendre, et si les gens ne viennent pas, là ce serait pire que tout. J'irais bien en boîte, mais la dernière fois que mon fils a réussi à m'y traîner pour son anniversaire, je n'ai pas du tout aimé, je suis définitivement trop décalé, pas à ma place dans ces endroits. En plus, des bagarres ont éclaté dans la soirée et j'ai horreur de ça, viscéralement. Léo m'a dit de ne pas m'inquiéter, que ça arrivait souvent, qu'il fallait juste faire attention. Faire attention à quoi ? Tout me dépasse. Quand j'ai vu ce jeune garçon passer devant moi, avec le visage en sang, j'ai tellement été remué que je suis parti sur-le-champ, révulsé par tant de violence.

La violence. On n'entend parler que de ça. Matin, midi, soir, des agressions, des explosions, des conflits, des guerres, des morts, encore des morts. J'ai l'impression que c'est de pire en pire, mais Dieu m'assure qu'il en a toujours été ainsi : ça marche par cycle, la violence et la barbarie montent en puissance, et ensuite retombent comme un soufflé à leur niveau normal. Ce mot m'a écorché les oreilles mais il dit que la violence est inhérente aux hommes. Même s'il espère une prise de conscience collective afin qu'elle disparaisse, il semble presque résigné.

« Tu sais, la violence ces derniers temps a atteint un point très élevé je le reconnais, mais on a connu encore pire par le passé, vraiment. Bien sûr que des millions de personnes sont mortes dernièrement et continuent de mourir, c'est énorme, pourtant ramené aux populations d'avant, cela n'est pas hors norme. L'équilibre va revenir bientôt, tu verras. Dans tous les endroits qui ont été dévastés, partout, la vie reprend son cours, les gens rebâtissent, font des enfants, ils veulent vivre. L'histoire se reconstruit par le futur, il en a toujours été ainsi. Comprends-moi bien, c'est le recul qui me fait tenir ce discours, tu sais à quel point j'ai souffert dernièrement, mais aujourd'hui vous voyez tout, vous savez tout en temps réel. Tu te souviens de ta jeunesse ? Quand tu avais dix ans, quand il n'y avait que la télévision et les journaux, tu en savais beaucoup moins, donc tu ressentais moins la violence. Et tes grands-parents qui n'avaient que les journaux papier ! On peut remonter encore plus loin, imagine au Moyen Âge, personne n'était au courant de rien. Si les gens avaient su à cette époque, ils seraient devenus fous de terreur, les pires atrocités s'y sont produites...

– Si c'est terrible à ce point, comment le supportes-tu ? À ta place, je nous tuerais tous, et on n'en parle plus. Parce que le malheur ne cesse de marquer des points, ton amour en a pris un sacré coup !

– Ce n'est pas si simple, ce n'est pas à moi de décider si vous devez tous mourir ou pas, vous êtes libres. Je te rappelle que je suis l'Amour. L'Amour pour les Hommes mais aussi l'Amour des Hommes, en plus de votre Amour à tous que je ressens, j'ai également un Amour infini pour vous. Et l'Amour, c'est aussi l'espoir. L'espoir que tout cela s'arrête un jour.

– Mais il y a bien des moments où le malheur a pris le dessus, non ?

– Je ne vais pas te mentir, parfois le Malheur l'emporte. Sur le moment, rien ne résiste à tant de souffrances. Mais très vite les hommes veulent aimer de nouveau, encore plus fort qu'avant. Et ils y parviennent.

– Mais dis-moi, je n'arrive pas à comprendre : pourquoi les hommes ont-ils toujours été violents ?

– Malheureusement, la violence a été indispensable au développement de la Vie. Pour croître, la Vie a dû se battre, c'est un fait, et la Vie impliquait la survie, donc la violence, donc en partie le Malheur.

– Sans vouloir te froisser, tu as quand même fait une grosse erreur à la base. Lorsque tu as créé la vie, tu aurais dû faire en sorte qu'elle puisse se développer sans violence !

– Mais je n'ai pas créé la Vie, moi ! Je n'ai rien créé du tout !

– Quoi ? Même pas nous ?

– Non, je n'ai pas créé les Hommes. D'ailleurs tu ne me l'as jamais demandé tellement cela te paraissait évident, tellement ce cliché est ancré en toi, en vous. La vérité est que les Hommes et moi sommes apparus au même instant. Comprends bien, cela signifie qu'aucun n'a préexisté à l'autre. La naissance de l'Amour m'a fait exister, et mon existence a fait naître l'Amour. Je n'ai donc rien décidé du tout vous concernant. Je me doute que tu dois avoir du mal à le concevoir, pourtant je ne suis pas le créateur que vous avez toujours imaginé. Il n'y a pas de créateur. Sur ce point-là, la science a raison.

– Je suis vraiment, comment dire…

– Déçu ? Je comprends tu sais, mais toutes ces histoires des six jours de la création plus le jour de repos – comme si je n'étais pas capable de bosser sept jours d'affilée – c'est une tentative d'explication qui remonte à une époque où vous étiez démunis face au mystère de la vie. Mais la Vie n'est pas un mystère, elle n'est, en quelque sorte, qu'une logique de la matière.

– Alors peut-être qu'il y a un dieu au-dessus de toi, qui vous aurait créés en même temps, toi et l'Amour ?

185

– Tu as trop lu de livres, il n'y a malheureusement aucun autre Dieu dans l'univers, ni au-dessus ni en dessous de moi. Tu t'imagines bien que j'ai cherché, j'aurais tant aimé pouvoir partager ce que je suis, mais ce n'est pas le cas. Je suis Seul, car vous êtes les seuls à vivre l'Amour. C'est ainsi. »

Pas rassuré pour deux sous, je sonne à sa porte. Elle m'ouvre rapidement et me gratifie d'un grand sourire, que je lui rends sur un modèle un peu plus crispé certainement. Elle me propose de m'installer sur son canapé. Face à moi, deux verres et de nombreux ramequins contenant des beignets de divers légumes et quelques sauces. Elle s'assied à côté de moi, ni trop près ni trop loin. Je ne sais pas quoi lui dire. On a fait connaissance par hasard, au supermarché : elle m'a demandé de lui attraper une bouteille qui était trop haute pour elle, et quand je la lui ai tendue j'ai remarqué le vieux film qu'elle avait dans son panier. Je lui ai alors dit que je l'avais visionné une bonne dizaine de fois et que j'adorais ces classiques de l'époque. Pour le reste je ne sais pas comment ça s'est passé, on a parlé quelques minutes et voilà, j'étais invité chez elle deux jours plus tard, sur ce canapé dans lequel je m'enfonce à mesure que je prends conscience de mon incapacité à mettre en place une conversation quelconque, alors qu'avanthier, ça s'était fait tout seul. Elle ne paraît pas s'en inquiéter, un beignet, quelques gorgées d'eau, le tout agrémenté de sourires à mon intention semblant lui suffire pour l'instant. Elle est plutôt plaisante, jolie.

187

Mais si ça n'était pas le cas, j'aurais quand même accepté son invitation, j'ai vraiment envie, besoin de compagnie. D'où mon agacement à ne pas en profiter pour parler comme je sais le faire. Tant pis… Je lui demande de me raconter sa vie, le temps que je prenne mes marques. Elle s'appelle Lise, elle a trente-huit ans et elle est historienne. Son mari est mort il y a presque cinq ans, il est tombé d'une chaise un soir où, trop alcoolisé, il s'était lancé dans une petite danse devant toute la salle pour amuser ses amis. En guise de finale, il a voulu les gratifier d'un petit passement de jambes qui a été fatal à son équilibre. Nuque brisée contre la table, sale ambiance au restaurant. Je ne lui dis pas pour Alice, j'aurais trop de mal à paraître aussi détaché qu'elle en évoquant le souvenir de ma femme. Je lui dis juste que je suis seul et que mon fils a pris son envol il y a peu, baluchon sur le toit de l'auto. Tiens, je parle. Sans réfléchir, spontanément. C'est reparti.

« Tu es une bête de sexe », voilà ce qu'elle m'a dit. Ayant rarement entendu ces mots dans la bouche d'une femme, j'en retire une certaine fierté. Dois-je en déduire que je m'améliore avec l'âge ? Ou bien qu'elle n'a connu que des hommes décevants avant moi ? En tout cas, je me sens bien, là, en sueur, à la regarder fumer sa cigarette, l'air absente et enchantée à la fois. Les femmes sont décidément surprenantes, moi j'étais venu à ce rendez-vous pour faire connaissance, presque en toute naïveté, mais après le repas, elle m'a embrassé assez vite avant de m'attirer dans sa chambre. Je crois que c'était clair dès le départ pour elle, et qu'à moins d'une grosse bévue, il était écrit que je passerais par la case lit. Ma foi.

Elle m'a proposé de rester dormir, je n'y ai pas vu d'objection. Du coup, je suis resté jusqu'au dimanche soir, et au moment de partir, elle m'a demandé quand je reviendrais. J'en déduis fort logiquement que nous sommes ensemble. Ça y est, j'ai sauté le pas sans vraiment m'en rendre compte. J'ai à nouveau quelqu'un.

Au quotidien, Lise se révèle charmante. Je ne lui trouve aucun défaut, sinon celui d'avoir du mal à se passer de moi. Quand je lui dis au téléphone que je suis un peu trop fatigué pour prendre la voiture et aller la rejoindre, elle n'entend pas « J'ai envie d'être seul ce soir » mais bel et bien « Je suis fatigué ». Alors elle vient me rejoindre chez moi. La troisième fois qu'elle est venue, elle a laissé sa trousse de toilette. J'ai cru qu'elle l'avait oubliée, mais en fouillant un peu j'ai remarqué que tous les produits étaient neufs. Alors j'ai libéré la moitié de la place sur le lavabo, et vidé un tiroir. Elle ne m'a rien dit quand elle est arrivée, mais ses affaires ont bien vite trouvé leur place.

Moi j'ai fait pareil, forcément. J'ai laissé chez elle quelques habits neufs, aussi. Restaurants, dîners chez ses amis à qui elle m'a présenté très rapidement, soirées films chez elle ou chez moi selon l'humeur, on ne se quitte plus. Alors, au bout d'un mois, elle a voulu qu'on vive ensemble, pour tout partager. J'ai accepté, à condition que ce soit chez moi.

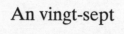

An vingt-sept

La boulette. On ne peut pas appeler ça autrement. Tout allait pourtant bien entre nous jusque-là. La bêtise que j'ai faite, c'est que pour fêter les deux ans de notre relation, je lui ai offert une bague. Pour moi ce n'était qu'une jolie bague, forcément, en or avec un diamant dessus, mais je ne savais pas qu'en langage féminin, cela s'appelait un solitaire et signifiait des fiançailles, donc une demande en mariage. J'aurais dû tiquer quand la femme de la bijouterie m'a dit que c'était un bijou d'exception, qui signifiait beaucoup. Mais non, j'ai juste pensé qu'en bonne commerçante, elle disait la même chose à tous les clients qui laissent une somme rondelette dans son échoppe. En plus, celle d'Alice était toute simple. Le pire est que, sot comme je suis, je la lui ai offerte au restaurant, et quand elle a crié « oui » et qu'elle s'est levée pour m'embrasser fougueusement devant tout le monde, je n'ai pas eu le courage de lui dire que non, c'était juste une jolie bague parce que je suis content qu'on soit ensemble.

Alors depuis quelques jours elle est hystérique à tout organiser à longueur de journée. « Une céré-monie, ça se prépare », ne cesse-t-elle de me répéter, et je veux bien le croire vu le défilé de ses amies non moins hystériques à la maison, qui ont chacune un avis, différent bien sûr, sur la couleur des nappes ou le nombre de petits fours par personne. Le mien, d'avis, ne compte pas, apparemment.

« Qu'est-ce que tu en penses, toi, de cette histoire ?

– Moi je n'en pense rien, c'est toi qui te maries !

– Non, mais je veux dire, tu crois que je fais une bêtise d'accepter ?

– Tu n'acceptes pas, tu laisses faire, rectification. Ensuite, ma foi, on verra bien comment les choses évoluent…

– Toi tu me caches quelque chose…

– Eh oui, la surprise du chef !

– Quelle surprise ?

– Je ne te dirai rien. Sinon que ça va se passer mardi soir prochain. Bon courage ! »

Déjà mardi, c'est fou comme le temps passe vite. Lise m'a préparé un bon repas avec ambiance chandelles, et je crains franchement le pire.

« Mon chéri, j'ai quelque chose à te demander.

– Je t'écoute.

– Après le mariage, quand on sera tranquilles, mari et femme, tu voudrais quoi, toi ?

– Vouloir quoi ?

– Comme sexe, je veux dire !

– Je suis bien avec le mien, merci, je ne compte pas en changer !

– Non, sois sérieux pour une fois, s'il te plaît ! Tu as déjà un garçon, tu n'aimerais pas avoir une fille ?

– C'est quoi cette histoire ?

– Je sais bien qu'on ne choisit pas, mais ton souhait, ce serait quoi ? Parce que moi j'ai déjà pensé à des prénoms, et…

– Tu es sérieuse ? Tu veux faire un enfant après le mariage ?

– Mais bien sûr ! C'est dans la logique des choses, on a le coup de foudre, on se marie, on fait un enfant !

– J'aurais bien aimé que tu m'en parles avant. Si j'ai mon mot à dire…

– Mais je pensais que c'était clair pour toi !

– Le problème, Lise, c'est que tu as un peu trop tendance à penser à ma place.

– Mais cet enfant, tu vas y réfléchir quand même ?

– Là, spontanément, je te dirais bien que je n'en veux pas. Parce que je suis trop vieux, un peu, et parce que je n'en ai pas envie, surtout. »

Alors, quand elle s'est mise à pleurer, je lui ai dit que j'allais y réfléchir. Pas parce que j'allais y réfléchir, non, juste pour qu'elle s'arrête de pleurer. Une lâcheté de l'immédiat, de celles qui font encore plus de dégâts par la suite. Une lâcheté d'homme.

« Je te jure, elle m'emmerde avec ses histoires !

– Je sais, mais que veux-tu que je te dise ?

– Ne dis rien si tu veux, j'ai juste envie de me plaindre, alors écoute-moi !

– Je ne fais que ça, t'écouter…

– Comprends-moi, elle me bassine jour et nuit avec son envie d'avoir un enfant, elle me fatigue. Sans compter les préparatifs du mariage… Je deviens fou.

– Et ?

– Et rien ! Je n'arrête pas de lui dire que je n'en veux pas ! Tu sais quel âge j'ai, tout de même ! Mais elle s'en fout, elle fait comme si elle ne m'entendait pas. Elle m'en parle dix fois, cent fois par jour, un lavage de cerveau en règle ! Tout à l'heure je lui dis : "Écoute Lise, cette histoire t'obsède, prends du recul !" et tu sais pas ce qu'elle me répond ?

– Si, elle t'a dit : "C'est toi qui vas prendre du recul si tu continues à ne rien vouloir construire avec moi."

– Voilà, ensuite je lui dis qu'on n'a qu'à construire une maison si elle tient tant à construire quelque chose, et là elle me dit que je suis un vieux con qui ne pense qu'à lui. Qu'est-ce que tu me conseilles ?

– Rien. En revanche, je peux te dire ce que tu n'oses pas t'avouer.

« – C'est-à-dire ?

– C'est-à-dire qu'il n'y a pas de solution. Tu n'accepteras jamais cet enfant et elle le veut absolument.

– Exact. Et donc ?

– Et donc il n'y a rien à ajouter. »

An vingt-huit

Je me félicite souvent d'avoir quitté Lise. Pas de bon cœur je le reconnais, j'étais triste de lui faire ça, mais il faut être honnête avec soi-même, et je savais que je ne l'aimais pas assez. Me laisser embarquer dans cette histoire de mariage, à la limite, mais l'enfant non, c'est trop important. On peut défaire un mariage, pas un enfant. J'aimais sa compagnie c'est vrai, mais ce n'était pas assez. Je me félicite d'autant plus de ma décision qu'aujourd'hui, je découvre Ivoire. Ma petite-fille. Elle est laide et fripée bien sûr, c'est un nouveau-né, mais je ne peux m'empêcher de la trouver bien moins laide et fripée que les autres nouveau-nés. Si j'avais suivi Lise dans son delirium, j'aurais pu me retrouver père et grand-père quasiment le même jour… N'importe quoi. Le bonheur d'être grand-père me suffit, il est différent de celui d'être père, moins violent, mais tout de même très touchant. Léo vit en ce moment ce que j'ai vécu il y a vingt-trois ans, il semble ne pas toucher terre, et son sourire ne pas vouloir s'éloigner de ses oreilles.

« Tu te rends compte, je suis papa !
– Tu te rends compte, je suis grand-père !
– Elle est belle, non ?

– Non elle n'est pas belle, elle est magnifique.

– Je suis papa… Maman doit faire une drôle de tête ! »

Le fait qu'il n'ait connu sa mère que très peu de temps ne l'empêche pas de penser à elle très souvent. Il est resté dans sa vision d'enfant par rapport à elle, persuadé qu'elle le regarde, qu'elle suit sa vie au jour le jour. Qu'elle veille sur lui. Il ne m'est jamais venu à l'idée de lui avouer ce que je savais. Il faut dire que mon unique tentative de partager mon secret, avec Alice, a été un fiasco absolu. Bien sûr, ça me titille encore parfois, mais je suis réaliste, ce qui pour moi est une certitude ne serait pour les autres qu'une hypothèse au mieux, un signe de folie au pire, à coup sûr l'objet de toutes sortes de critiques et railleries. Alors à quoi bon. Je garderai ça pour moi.

Grand-père, moi ! Si on m'avait dit que ça me rendrait aussi heureux, je ne l'aurais pas cru. Je m'attendris devant ce petit être qui, selon Dieu, n'est pas en mesure de m'aimer… Peu m'importe, je l'aime déjà tellement. C'est l'essentiel.

An trente

Je m'active depuis deux heures à tout bien préparer, bien nettoyer. Il faut dire qu'en temps normal, je ne suis pas trop regardant, un peu de poussière ne m'a jamais empêché d'être bien chez moi. Mais Léo vient passer la semaine ici avec sa petite famille, alors je fais ce qu'il faut pour que ma maison ne ressemble pas à celle d'un vieux bonhomme célibataire. Car si mon fils voit que quelque chose ne va pas, je vais y avoir droit une fois de plus : il va me dire de me trouver une femme pour s'occuper de moi et de la maison, parce que je n'ai pas changé les draps, que mon frigo est vide, que je n'ai presque plus de vaisselle à part deux pauvres assiettes et quelques verres... La vaisselle ! Je savais que j'avais oublié quelque chose. Je voulais m'accorder une petite sieste mais tant pis, j'ai deux heures devant moi avant qu'ils n'arrivent, je vais sortir acheter ce qu'il faut.

Alors que j'étais en train de chercher mes clés, ma vision a commencé à se troubler, d'un coup. J'ai trouvé ça bizarre mais je me suis dit que ça allait passer et j'ai continué à m'activer. Pourtant très vite, j'ai ressenti des fourmillements sur tout le visage, et dans la foulée, il m'est devenu impossible de bouger mon bras, il était comme paralysé, pendu à mon corps. Ensuite j'ai carrément perdu la vue, le noir complet, et j'ai commencé à vraiment paniquer. Je me suis pris les pieds dans je ne sais quoi, une chaise peut-être, et j'ai perdu l'équilibre, je crois même que je suis tombé. Et puis plus rien.

Sur le coup, quand j'ai compris ce qui m'arrivait, j'ai été en colère, très en colère, comme révolté. Et puis, très vite, je me suis calmé, presque malgré moi. Être mort doit nous apaiser sans doute. Je suis mort. C'est incroyable de se dire ces mots, consciemment. C'est sûr, je ne pensais pas que ça arriverait si tôt, mais ç'aurait pu être pire, donc je ne me plains pas trop. Évidemment, soixante ans c'est un peu jeune, j'aurais aimé profiter plus longtemps de ma petite-fille, et Léo va être tellement triste, lui qui n'a eu sa mère que si peu de temps. Mais je me dis qu'aujourd'hui ou dans dix ans, sa peine aurait été la même. De toute façon, perdre ses parents, c'est dans l'ordre des choses… Et puis maintenant, il a sa femme et sa fille, ce n'est pas comme si je le laissais seul. Il vivra sa vie, sans moi, et je suis soulagé de ne plus avoir la crainte d'être un jour un poids pour lui. J'aurais détesté être à sa charge, malade, dépendant. Devenir un vrai vieux, avoir mal partout, tout le temps, perdre la tête et s'en rendre compte au début, et pire, ne plus s'en rendre compte à la fin, tout ça me faisait vraiment peur. Maintenant, je suis sûr que ça n'arrivera pas. En plus je suis très content, car quand Léo m'a appelé hier pour me dire à quelle heure ils arriveraient, je lui ai dit que je l'aimais juste avant de raccrocher. Peut-on rêver mieux comme derniers mots à son fils, *je t'aime* ?

La seule chose que je regrette, c'est qu'il me retrouve ainsi, gisant à même le sol. Assis, j'aurais été plus présentable.

« Nous y voilà.
— Eh oui ! Je crois qu'on y est.
— Tu n'as pas peur ?
— Bien sûr que non, tu dois le savoir.
— Non, justement, maintenant que tu n'es plus, je ne fais plus partie de toi, donc je ne sais plus ni ce que tu penses ni ce que tu ressens. D'où mon impossibilité de connaître ta réponse à l'avance.
— Avant de parler de réponse, pose-moi déjà la question. Allez, je t'écoute. Je suis prêt.
— Tout d'abord sache que je fais systématiquement un petit discours auquel tu ne vas pas échapper, merci de l'écouter et de ne pas m'interrompre.
— Bien sûr. »

En même temps que je disais ces deux mots, j'ai pris conscience que mon cœur ne battait plus. Étrange sensation, autant je ne m'étais jamais rendu compte que mon cœur battait, autant l'absence de pulsations est très forte, présente en quelque sorte. Mais ça ne fait pas mal, c'est l'essentiel.

« Homme, mon enfant, partie de moi, mon frère, tu as vécu. Il est donc temps pour moi de te poser la Question. Avant tout tu dois savoir qu'il n'y a rien après la mort. L'esprit ne survit jamais au corps, c'est ainsi. Une fois que tu auras répondu tu t'éteindras pour de bon, mais cela ne doit pas t'empêcher de penser aux conséquences de ta réponse, bien au contraire. Je vais te poser la Question, disparaître le temps pour toi d'y réfléchir, ensuite tu n'auras qu'à m'appeler et me délivrer ton dernier mot. Ce dernier ne sera pas qu'un mot, il sera un message, il est capital. Voici la Question : "Est-ce que l'on continue ?"

– Comment ça : "Est-ce que l'on continue" ? Qu'est-ce que ça veut dire ? C'est une question sur l'avenir alors que nous n'en avons pas, que nous allons disparaître et ne rien savoir de ce qui adviendra ?

– Exactement, tu as tout compris. Et c'est la raison pour laquelle vous n'êtes en mesure d'y répondre qu'au moment de votre mort. Ainsi votre propre sort, vos existences ou intérêts n'entrent pas en ligne de compte.

– Je comprends, mais je m'attendais à quelque chose de plus fort, de plus direct, une sorte de révélation, je ne sais pas. Je trouve ta question trop floue.

– C'est volontaire. Pourtant, tu t'en rendras compte lorsque tu commenceras à y réfléchir, tout est dit avec ces quelques mots. L'humanité doit-elle continuer ou s'éteindre ? C'est vous qui en décidez. Je t'avais dit il y a longtemps que j'avais le pouvoir de faire disparaître tous les Hommes mais que je ne prendrais jamais une telle décision. Tu sais pourquoi maintenant, cette décision c'est la vôtre. Le jour où une majorité d'hommes répondront par la négative, l'humanité s'éteindra. Et moi avec, tu l'auras compris. C'est aussi simple que cela.

– Attends, tu veux dire qu'on peut te tuer ?

– Oui, si les Hommes disparaissent alors l'Amour disparaîtra, et moi avec. Nous sommes nés au même instant, nous mourrons au même instant le cas échéant.

– C'est étrange, toi tu refuses de prendre la décision de nous tuer, et nous on peut décider de te tuer, toi.

– Vous avez surtout le pouvoir de vous tuer vous. Tous, chacun d'entre vous, apporte sa réponse, sa pierre à l'édifice. Un jour, un Homme aura la clé de voûte entre ses mains, je ne le lui dirai pas évidemment, mais s'il refuse de poser cette pierre, s'il dit non, alors nous cesserons tous d'exister, en un instant. Cet Homme c'est peut-être toi, sois-en conscient, il est possible qu'avant toi l'exacte moitié des Hommes ait répondu "oui" et que l'autre exacte moitié ait répondu "non". Tout peut reposer sur toi. C'est ta responsabilité. C'est ton choix. Je te laisse réfléchir. »

Est-ce que l'on continue ? Je n'en sais rien. Est-ce que l'on continue ?... Je serais bien tenté de dire « oui », parce qu'il en a toujours été ainsi, certains meurent et les autres continuent à vivre, mais bon, c'est faible comme argument. En même temps, moi je meurs, les hommes se débrouillent comme ils veulent, je ne serai pas là pour le voir. Dire « oui » me paraît moins risqué.

Ou alors je dis « non », parce qu'il faut se rendre à l'évidence, les Hommes ne servent finalement pas à grand-chose. Si nous cessons d'exister rien ne changera, sauf pour les animaux qui seront certainement un peu plus tranquilles. De toute façon, si on meurt tous en même temps, personne ne se rendra compte de rien ; en un sens, on ne ferait de mal à personne puisqu'il n'y aurait personne pour nous pleurer, plus de malheur. Un claquement de doigts et tout est terminé. On n'en parle plus. Tranquilles.

Mais si par malchance ça tombait sur moi, si c'était moi qui avais entre mes mains la clé de voûte ? Sacrée responsabilité, dont je ne suis pas sûr de vouloir ! Et puis, c'est injuste finalement : si celui ou celle qui doit prendre la décision est un imbécile, un idiot véritable, ou même un simple d'esprit, doit-on lui confier le sort de l'humanité, son « oui » ou son « non » doivent-ils être si décisifs pour tous ? Pire, si c'est un enfant ! Je ne crois pas que l'être humain soit le mieux placé pour décider de sa destinée. Je ne suis même pas sûr qu'il le mérite, ni qu'il ait les épaules assez larges. Ce système ne me plaît pas, c'est une règle trop aléatoire. Tout baser sur les hommes, c'est se baser sur rien.

« Dieu ?

– Ça y est, tu as déjà pris ta décision ?

– Non, simplement je voulais savoir : est-ce que j'ai le droit de ne pas répondre ?

– Absolument pas. Comprends bien, cela n'est pas un sondage, il n'y a pas de catégorie « ne se prononce pas ». L'avenir de l'Homme en dépend, il faut savoir prendre ses responsabilités. On peut fuir les décisions dans la vie, mais pas ici. Tu n'es plus vivant, il n'y a pas d'échappatoire : tu mets en jeu ton pouvoir, tu exerces ton jugement pour la dernière fois…

– Attends, mais… c'est le jugement dernier !

– Oui, en quelque sorte. Cette expression est valable, mais comme tu le vois, ce n'est pas Dieu qui juge. C'est l'Homme qui juge l'Homme. »

C'est vraiment difficile. Dès qu'un argument me fait penser « oui », un autre survient et me donne envie de répondre par la négative. C'est trop dur, je ne suis pas à la hauteur d'une telle responsabilité.

Finalement, si le fait de dire que les hommes naissent et demeurent égaux est un mensonge éhonté
déguisé en vœu pieux, on peut dire par contre qu'ils
meurent égaux. Chaque réponse pèse autant qu'une
autre, pour la première fois le plus petit est véritablement l'égal du plus puissant. C'est bien. Mais c'est
peut-être un peu tard.

Oui, non, oui, non… Je vais devenir fou avec cette
histoire. Je change d'avis tout le temps. Il me faudrait
quelqu'un pour en parler, ça m'aiderait. Qu'aurait dit
Alice ?

Alice… Je n'ai jamais pu l'oublier. Pourtant, on a
vécu à peine plus de neuf années ensemble… Comment peut-on être chamboulé à ce point ? Comment
peut-on aimer aussi longtemps une absence ? Avant
elle, j'ai un peu aimé bien sûr, mais rien de compa-
rable, des amourettes. Après elle, rien, j'ai aimé des
corps, beaucoup, et apprécié une compagnie, une
seule, pendant quelque temps. Rien d'autre. Si elle
était restée à mes côtés, j'aurais dit « oui » à coup
sûr… Mais là, non. Pas comme ça. Et puis, tout ce
malheur, le jour où Dieu a pleuré dans mes bras…

Tout pourrait s'arrêter. Terminé les fous, les tortures, les souffrances, la solitude, l'espoir pour rien, l'amour sans l'autre, l'amour pour rien, les soucis, la maladie, la vieillesse, la dépression, le désespoir, la mort, la vie pour rien, les vies de rien… Tout cela me fait penser « non ».

Alice aussi a dû dire « non ». Elle a souffert le martyre quand la tôle s'est déchaînée sur son corps, elle savait ce que c'était, elle a dû dire « non, on arrête ». Pour elle et tous les autres, pour moi et pour Léo.

Quoique, pour Léo… Aurait-elle voulu qu'il s'éteigne à quatre ans ? La connaissant, je trouve cela finalement assez inconcevable… Son petit amour, comme elle l'appelait. Moi j'étais son grand amour. Souvent, elle me disait : « Tu sais, il est mon petit amour et toi mon grand amour, mais ça ne veut pas dire que je t'aime plus que lui ! C'est juste une question de taille, mais je l'aime autant que je t'aime. Tu n'es pas jaloux, dis ? » et elle écarquillait les sourcils en se mordillant la lèvre, avec l'air espiègle d'une enfant. Elle savait bien que non, je n'étais pas jaloux. Je l'aimais autant qu'elle, notre petit amour, notre Léo. Mon Léo, qui est devenu mon ami autant que mon fils au fil du temps, et puis Ivoire que j'aurais tellement aimé voir grandir… Je ne sais plus. Je sais qu'ils sont heureux, j'en suis certain même. Je ne peux pas leur faire ça…

Je les aime. Je veux qu'ils vivent encore, et qu'ils aiment encore plus, toujours plus, autant qu'ils m'ont aimé. L'Amour. J'ai enfin compris. Dieu m'a dit un jour que parmi toutes nos croyances, la seule vérité à son sujet est qu'il est l'Amour. C'est vrai. Tant que nous aimerons, nous voudrons que cela continue, pour les autres, pour ceux que l'on aime. Ainsi tout continuera d'exister : nous, lui, l'Amour.

« Dieu ?

– Oui ?

– J'ai une dernière question avant de te répondre.

– Je t'écoute.

– Qu'a dit Alice ? Quelle a été sa réponse à la question ?

– Elle a dit "oui". Pour toi et pour Léo. Mais tu t'en doutais.

– Je voulais être sûr. Bien, je crois que je suis prêt.

– D'abord laisse-moi te dire combien tu es précieux pour moi, combien tu l'as été. Je suis triste de ne plus jamais te revoir sinon en souvenir. Maintenant je te laisse parler, mais sache que ta réponse sera ton dernier mot, puis ce sera la fin pour toi.

– Merci. Je ne te dirai rien de plus, car même si tu ne peux plus lire en moi, tu sais, mon ami.

– Oui, je sais, mon Ami.

– Alors je veux que l'on continue. Adieu. Ma réponse est "Oui". »

Au pays des *froggies*

God save la France
Stephen Clarke

Paul West, 27 ans, superbe échantillon d'Anglais typique, à mi-chemin entre Hugh Grant et David Beckam, se retrouve projeté dans un monde étrange et parallèle... la France. Venu pour des raisons professionnelles, très enthousiaste à l'idée de pouvoir assouvir dans ce pays du raffinement sa passion pour les dessous féminins, ce jeune cadre dynamique atterrit en fait les deux pieds dans les déjections canines ornant les trottoirs de la capitale, ne sachant plus où donner de la tête entre Parisiens de mauvaise humeur, serveurs agressifs et méthodes de travail laxistes. Et il n'est pas au bout de ses surprises...

(Pocket n° 13065)

L'amour à la française

God save les Françaises
Stephen Clarke

Pour Paul West, sujet de Sa Majesté, zigzaguer entre les crottes de chien n'était déjà pas simple. Mais comprendre le beau sexe affublé de deux parents français se révèle encore plus délicat. Quand passer des vacances en famille signifie déboucher la fosse septique et désamianter le toit, il y a de quoi en perdre son franglais. Entre apéritifs à répétitions et tentatives de matricide, Paul West a tout juste le temps de penser à rentrer chez lui...

(Pocket n° 13022)

Un malade
pas si imaginaire

La consultation
Laurent Seksik

Julien est cloué au lit par de terribles maux de tête. À moins que ce ne soit le vaste échec qu'est sa vie qui l'accable. Même sa femme de ménage le lui dit : « C'est un vrai foutoir » et elle ne parle pas que de son appartement. Un job sans intérêt obtenu par piston, une analyse chez le docteur Pinto au point mort, des parents qui l'ont déjà remisé dans la colonne des pertes et profits, sans remords puisque que son frère, Alexandre, réussi si bien, bref, Julien n'est que déceptions, angoisses et maux de tête épouvantables. À moins que ce ne soit le monde qui ne tourne pas rond...

(Pocket n° 13352)

Il y a toujours un Pocket à découvrir

Cet ouvrage a été imprimé en France par

CPI
Bussière

à Saint-Amand-Montrond (Cher)
en octobre 2009

POCKET - 12, avenue d'Italie - 75627 Paris Cedex 13

— N° d'imp. : 91492. —
Dépôt légal : septembre 2009.
Suite du premier tirage : octobre 2009.